西遊記

册四

吴承恩 著

北京聯合出版公司

第五十回 情亂性從因愛欲 神昏心動遇魔頭

詩曰：

心地頻頻掃，塵情細細除，莫教坑塹陷毗盧。本體常清淨，方可論元初。性燭須挑剔，曹溪任吸呼，勿令猿馬氣聲粗。晝夜綿綿息，方顯是功夫。

這一首詞，牌名《南柯子》，單道着唐僧脱却通天河寒冰之灾，踏白黿負登彼岸。師徒四衆，順着大路，望西而進。正遇嚴冬之景，但見那林光漠漠烟中淡，山骨棱棱水外清。師徒們正當行處，忽然又遇一山，阻住去道。路窄崖高，石多嶺峻，人馬難行。三藏在馬上兜住繮繩，叫聲「徒弟。」時有孫行者引八戒、沙僧近前侍立道：「師父，有何吩咐？」三藏道：「你看那前面山高，衹恐有虎狼作怪，妖獸傷人，今番是必仔細！」行者道：「師父放心莫慮。我等兄弟三人，性和意合，歸正求真，使出蕩怪降妖之法，怕甚麽虎狼妖獸！」三藏聞言，只得放懷前進。到于谷口，促馬登崖，抬頭觀看，好山：

嵯峨矗矗，巒削巍巍。嵯峨矗矗衝霄漢，巒削巍巍礙碧空。怪石亂堆如坐虎，蒼松斜掛似飛龍。嶺上鳥啼嬌韻美，崖前梅放异香濃。澗水潺湲流出冷，巔雲黯淡過來兇。又見那飄飄雪，凜凜風，咆哮餓虎吼山中。寒鴉揀樹無栖處，野鹿尋窩没定踪。可嘆行人難進步，皺眉愁臉把頭蒙。

師徒四衆，冒雪衝寒，戰澌澌，行過那巔峰峻嶺，遠望見山凹中有樓臺高聳，房舍清幽。唐僧馬上欣然道：「徒弟啊，這一日又飢又寒，幸得那山凹裏有樓臺房舍，斷乎是莊戶人家，庵觀寺院，且去化些齋飯，吃了再走。」行者聞言，急睁睛看，衹見那壁廂兇雲隱隱，惡氣紛紛，回首對唐僧道：「師父，那廂不是好處。」三藏道：「見有樓臺亭宇，如何不是好處？」行者笑道：「師父啊，你那裏知道？西方路上多有妖怪邪魔，善能點化莊宅。不拘甚麽樓臺房舍，館閣亭宇，俱能指化了哄人。你知道「龍生九種」，内有一種名「蜃」。蜃氣放出，就如樓閣淺池。若遇大江昏迷，蜃現此勢。倘有鳥鵲飛騰，定來歇翅。那怕你上萬論千，盡被他一氣吞之。此意害人最重。那壁廂氣色兇惡，斷不可入。」

三藏道：「既不可入，我却着實飢了。」行者道：「師父果飢，且請下馬，就在這平處坐下，待我别處化些齋來你吃。」三藏依言下馬。八戒采定繮繩，沙僧放下行李，即去解開包裹，取出鉢盂，遞與行者。行者接鉢盂在手，吩咐沙僧道：「賢弟，却不可前進。好生保護師父穩坐于此，待我化齋回來，再往西去。」沙僧領諾。行者又向三藏道：「師父，這去處少吉多凶，切莫要動身别往。老孫化齋去也。」唐僧道：「不必多言，但要你快去快來。我在這裏等你。」行者轉身欲行，却又回來道：「師父，我知你没甚坐性，我與你個安身法兒。」即取金箍棒，幌了一幌，將那平地下周圍畫了一道圈子，請唐僧坐在中間，着八戒、沙僧侍立左右，把馬與行李都放在近身。對唐僧合掌道：「老孫畫的這圈，强似那銅墻鐵壁。憑他甚麽虎豹狼蟲，妖魔鬼怪，俱莫敢近。但衹不許你們走出圈外，衹在中間穩坐，保你無虞；但若出了圈兒，定遭毒手。千萬，千萬！至囑，至囑！」三藏依言，師徒俱端然坐下。

行者才起雲頭，尋莊化齋，一直南行，忽見那古樹參天，乃一村莊舍。按下雲頭，仔細觀看，但衹見：

雪欺衰柳，冰結方塘。疏疏修竹摇青，鬱鬱喬松凝翠。幾間茅屋半裝銀，一座小橋斜砌粉。籬邊微吐水仙花，檐上長垂冰凍箸。颯颯寒風送异香，雪漫不見梅開處。

行者隨步觀看莊景，衹聽得呀的一聲，柴扉響處，走出一個老者，手拖藜杖，頭頂羊裘，身穿破衲，足踏蒲鞋，拄着杖，仰身朝天道：「西北風起，明日晴了。」説不了，後邊跑出一個哈巴狗兒來，望着行者，汪汪的亂吠。老者却纔轉過頭來，看見行者捧着鉢盂，打個問訊道：「老施主，我和尚是東土大唐欽差上西天拜佛求經者。適路過寶方，我師父腹中飢餒，特造尊府募化一齋。」老者聞言，點頭頓杖道：「長老，你且休化齋，你走錯路了。」行者道：「不錯。」老者道：「往西天大路，在那直北下。此間到那裏有千里之遥，還不去找大路而行？」行者笑

道：『正是直北下。我師父現在大路上端坐，等我化齋哩。』那老者道：『這和尚胡說了。你師父在大路上等你化齋，似這千里之遥，就會走路，也須得六七日；走回去又要六七日，却不餓壞他也？』行者笑道：『不瞞老施主說。我纔然離了師父，還不上一盞熱茶之時，却就走到此處。如今化了齋，還要趁去作午齋哩。』老者見說，心中害怕道：『這和尚是鬼！是鬼！』急抽身往裏就走。行者一把扯住道：『施主那裏去？有齋快化些兒。』老者道：『不方便！不方便！别轉一家兒罷！』行者道：『你這施主，好不會事！你說我離此有千里之遥，若再轉一家，却不又有千里？真是餓殺我師父也。』那老者道：『實不瞞你說。我家老小六七口，才淘了三升米下鍋，還未曾煮熟。你且到别處去轉轉再來。』行者道：『古人云：「走三家不如坐一家。」我貧僧在此等一等罷。』那老者見纏得緊，惱了，舉藜杖就打。行者公然不懼，被他照光頭上打了七八下，衹當與他拂癢。那老者道：『這是個撞頭的和尚！』行者笑道：『老官兒，憑你怎麽打，衹要記得杖數明白。一杖一升米，慢慢量來。』那老者聞言，急丢了藜杖，跑進去把門關了，衹嚷：『有鬼！有鬼！』慌得那一家兒戰戰兢兢，把前後門俱關上。行者見他關了門，心中暗想：『這老賊才說淘米下鍋，不知是虚是實。常言道：「道化賢良釋化愚。」且等老孫進去看看。』好大聖，捻着訣，使個隱身遁法，徑走入厨中看處，果然那鍋裏氣騰騰的，煮了半鍋乾飯。就把鉢盂往裏一揌，滿滿的揌了一鉢盂，即駕雲回轉不題。

却說唐僧坐在圈子裏，等待多時，不見行者回來，欠身悵望道：『這猴子往那裏化齋去了！』八戒在旁笑道：『知他往那裏耍子去來！化甚麽齋，却教我們在此坐牢！』三藏道：『怎麽謂之坐牢？』八戒道：『師父，你原來不知。古人劃地爲牢。他將棍子劃個圈兒，强似鐵壁銅墻，假如有虎狼妖獸來時，如何擋得他住？只好白白的送與他吃罷了。』三藏道：『悟能，憑你怎麽處治。』八戒道：『此間又不藏風，又不避冷，若依老猪，衹該順着路，往西且行。師兄化了齋，駕了雲，必然來快，讓他趕來。如有齋，吃了再走。如今坐了這一會，老大脚冷！』三藏聞此言，就是晦氣星進宫，遂依呆子，一齊出了圈外。沙僧牽了馬，八戒擔了擔，那長老順路步行前進。

不一時，到了那樓閣之所，原來是坐北向南之家。門外八字粉墻，有一座倒垂蓮升門門樓，都是五色裝的。那門兒半開半掩。八戒就把馬拴在門枕石鼓上。沙僧歇了擔子。三藏畏風，坐于門限之上。八戒道：『師父，這所在想是公侯之宅，相輔之家。前門外無人，想必都在裏面烘火。你們坐着，讓我進去看看。』唐僧道：『仔細耶！莫要衝撞了人家。』呆子道：『我曉得。自從歸正禪門，這一向也學了些禮數，不比那村莽之夫也。』

那呆子把釘鈀撒在腰裏，整一整青錦直裰，斯斯文文，走入門裏。衹見是三間大廳，簾櫳高控，靜悄悄全無人跡，也無桌椅傢火。轉過屏門，往裏又走，乃是一座穿堂。堂後有一座大樓，樓上窗格半開，隱隱見一頂黃綾帳幔。呆子道：『想是有人怕冷，還睡哩。』他也不分內外，拽步走上樓來。用手掀開看時，把呆子唬了一個躘踵。原來那帳裏，象牙床上，白媸媸的一堆骸骨，骷髏有巴斗大，腿挺骨有四五尺長。呆子定了性，止不住腮邊泪落，對骷髏點頭嘆云：『你不知是：

那代那朝元帥體，何邦何國大將軍。當時豪杰争强勝，今日凄凉露骨筋。不見妻兒來侍奉，那逢士卒把香焚？謾觀這等真堪嘆，可惜興王霸業人。』

八戒正才感嘆，衹見那帳幔後有火光一幌。呆子道：『想是有侍奉香火之人在後面哩。』急轉步過帳觀看，却是穿樓的窗扇透光。那壁厢有一張彩漆的桌子，桌子上亂搭着幾件錦綉綿衣。呆子提起來看時，却是三件納錦背心兒。他也不管好歹，拿下樓來，出廳房，徑到門外道：『師父，這裏全没人烟，是一所亡靈之宅。老猪走進裏面，直至高樓之上，黄綾帳內，有一堆骸骨。串樓旁有三件納錦的背心，被我拿來了，也是我們一程兒造化。此時天氣寒冷，正當用處。師父，且脫了褊衫，把他且穿在底下，受用受用，免得吃冷。』三藏道：『不可！不可！律云：「公取竊取皆爲盗。」倘或有人知覺，趕上我們，到了當官，斷然是一個竊盗之罪。還不送進去與他搭在原處！我們在此避風坐一坐，等悟空來時走路。出家人不要這等愛小。』八戒道：『四顧無人，雖鷄犬亦不知之，但衹我們知道，誰人告我？有何證見？就如拾到的一般，那裏論甚麽公取竊取也！』三藏道：『你胡做啊！雖是人不知之，天何蓋焉！玄帝垂訓云：「暗室虧心，神目如電。」趁早送去還他，莫愛非禮之物。』

那呆子莫想肯聽，對唐僧笑道：『師父啊，我自爲人，也穿了幾件背心，不曾見這等納錦的。你不穿，且待老猪穿一穿，試試新，晤晤脊背。等師兄來，脱了還他走路。』沙僧道：『既如此説，我也穿一件兒。』兩個齊脱了上蓋直裰，將背心套上。才緊帶子，不知怎麽立站不穩，撲的一跌。原來這背心兒賽過綁縛手，霎時間，把他兩個背剪手貼心捆了。慌得個三藏跌足報怨，急忙上前來解，那裏便解得開？三個人在那裏吆喝之聲不絶，却早驚動了魔頭也。

原來那座樓房果是妖精點化的，終日在此拿人。他在洞裏正坐，忽聞得怨恨之聲，急出門來看，果見捆住幾個人了。妖魔即唤小妖，同到那厢，收了樓臺房屋之形，把唐僧攙住，牽了白馬，挑了行李，將八戒、沙僧一齊捉到洞裏。老妖魔登臺高坐，衆小妖把唐僧推近臺邊，跪伏于地。妖魔問道：『你是那方和尚？怎麽這般膽大，白日裏偷盗我的衣服？』三藏滴泪告曰：『貧僧是東土大唐欽差往西天取經的。因腹中飢餒，着大徒弟去化齋未回，不曾依得他的言語，誤撞仙庭避風。不期我這兩個徒弟愛小，拿出這衣物。貧僧决不敢壞心，當教送還本處。他不聽吾言，要穿此晤晤脊背，不料中了大王機會，把貧僧拿來。萬望慈憫，留我殘生，求取真經，永注大王恩情，回東土千古傳揚也！』

那妖魔笑道：『我這裏常聽得人言：有人吃了唐僧一塊肉，發白還黑，齒落更生。幸今日不請自來，還指望饒你哩！你那大徒弟叫做甚麽名字？往何方化齋？』八戒聞言，即開口稱揚道：『我師兄乃五百年前大鬧天宮齊天大聖孫悟空也。』

那妖魔聽説是齊天大聖孫悟空，老大有些悚懼，口內不言，心中暗想道：『久聞那廝神通廣大，如今不期而會。』

教：『小的們，把唐僧捆了，將那兩個解下寶貝，換兩條繩子，也捆了。且抬在後邊，待我拿住他大徒弟，一發刷洗，却好湊籠蒸吃。』衆小妖答應一聲，把三人一齊捆了，抬在後邊。將白馬拴在槽頭，行李挑在屋裏。衆妖都磨兵器，準備擒拿行者不題。

却說孫行者自南莊人家攝了一鉢盂齋飯，駕雲回返舊路，徑至山坡平處，按下雲頭，早已不見唐僧，不知何往。棍劃的圈子還在，只是人馬都不見了。回看那樓臺處所，亦俱無矣，惟見山根怪石。行者心驚道：『不消說了！他們定是遭那毒手也！』急依路看着馬蹄，向西而趕。

行有五六里，正在凄愴之際，衹聞得北坡外有人言語。看時，乃一個老翁，氈衣苫體，暖帽蒙頭，足下踏一雙半新半舊的油靴，手持着一根龍頭拐棒，後邊跟一個年幼的僮僕，折一枝臘梅花，自坡前念歌而走。行者放下鉢盂，覿面道個問訊，叫：『老公公，貧僧問訊了。』那老翁即便回禮道：『長老那裏來的？』行者道：『我們東土來的，往西天拜佛求經。一行師徒四衆。我因師父飢了，特去化齋，教他三衆坐在那山坡平處相候。及回來不見，不知往那條路上去了？動問公公，可曾看見？』老者聞言，呵呵冷笑道：『你那三衆，可有一個長嘴大耳的麽？』行者道：『有！有！有！』『又有一個晦氣色臉的，牽着一匹白馬，領着一個白臉的胖和尚麽？』行者道：『是！是！是！』老翁道：『你們走錯路了。你休尋他，各人顧命去也。』行者道：『那白臉者是我師父，那怪樣者是我師弟。我與他共發虔心，要往西天取經，如何不尋他去！』老翁道：『我纔然從此過時，看見他錯走了路，徑闖入妖魔口裏去了。』行者道：『煩公公指教指教，是個甚麽妖魔，居于何方，我好上門取索他等，往西天去也。』老翁道：『這座山，叫做金峴山。山前有個金峴洞。那洞中有個獨角兕大王。那大王神通廣大，威武高强。那三衆此回斷沒命了。你若去尋，只怕連你也難保，不如不去之爲愈也。我也不敢阻你，也不敢留你，衹憑你心中度量。』

行者再拜稱謝道：『多蒙公公指教。我豈有不尋之理！』把這齋飯倒與他，將這空鉢盂自家收拾。那老翁放下拐棒，接了鉢盂，遞與僮僕，現出本像，雙雙跪下，叩頭叫：『大聖，小神不敢隱瞞。我們兩個就是此山山神、土地，在此候接大聖。這齋飯連鉢盂，小神收下，讓大聖身輕好施法力。待救唐僧出難，將此齋還奉唐僧，方顯得大聖至恭至孝。』行者喝道：『你這毛鬼討打！既知我到，何不早迎？却又這般藏頭露尾，是甚道理？』土地道：『大聖性急，小神不敢造次，恐犯威顔，故此隱像告知。』行者息怒道：『你且記打！好生與我收着鉢盂，待我拿那妖精去來！』土地、山神遵領。

這大聖却纔束一束虎筋縧，拽起虎皮裙，執着金箍棒，徑奔山前，找尋妖洞。轉過山崖，衹見那亂石磷磷，翠崖邊有兩扇石門，門外有許多小妖，在那裏輪槍舞劍。真個是：

煙雲凝瑞，苔蘚堆青。崚嶒怪石列，崎嶇曲道縈。猿嘯鳥啼風景麗，鸞飛鳳舞若蓬瀛。向陽幾樹梅初放，弄暖千竿竹自青。陡崖之下，深澗之中，陡崖之下雪堆粉，深澗之中水結冰。兩林松柏千年秀，幾簇山茶一樣紅。

這大聖觀看不盡，拽開步徑至門前，厲聲高叫道：『那小妖，你快進去與你那洞主說，我本是唐朝聖僧徒弟齊天大聖孫悟空。快教他送我師父出來，免教你等喪了性命！』

那伙小妖，急入洞裏報道：『大王，前面有一個毛臉勾嘴的和尚，稱是齊天大聖孫悟空，來要他師父哩。』那魔王聞得此言，滿心歡喜道：『正要他來哩！我自離了本宮，下降塵世，更不曾試試武藝。今日他來，必是個對手。』即命：『小的們取出兵器。』那洞中大小群魔，一個個精神抖擻，即忙抬出一根丈二長的點鋼槍，遞與老怪。老怪傳令，教：『小的們，各要整齊。進前者賞，退後者誅！』衆妖得令，隨着老怪，騰出門來。叫道：『那個是孫悟空？』行者在旁閃過，見那魔王生得好不兕醜：

獨角參差，雙眸幌亮。頂上粗皮突，耳根黑肉光。舌長時攪鼻，口闊版牙黃。毛皮青似靛，筋攣硬如鋼。比犀難照水，像牯不耕荒。全無喘月犁雲用，倒有欺天振地强。兩衹焦筋藍靛手，雄威直挺點鋼槍。細看這等兕模樣，

不枉名稱兇大王！

孫大聖上前道：『你孫外公在這裏也！快早還我師父，兩無毀傷！若道半個「不」字，我教你死無葬身之地！』那魔喝道：『我把你這個大膽潑猴精！你有些甚麽手段，敢出這般大言！』行者道：『你這潑怪，是也不曾見我老孫的手段！』那妖魔道：『你師父偷盜我的衣服，實是我拿住了，如今待要蒸吃。你是個甚麽好漢，就敢上我的門來取討！』行者道：『我師父乃忠良正直之僧，豈有偷你甚麽妖物之理？』妖魔道：『我在山路邊點化一座仙莊，你師父潛入裏面，心愛情欲，將我三領納錦綿裝背心兒偷穿在身，見有贓證，故此我纔拿他。你今果有手段，即與我比勢。假若三合敵得我，饒了你師之命；如敵不過我，教你一路歸陰！』

行者笑道：『潑物！不須講口！但說比勢，正合老孫之意。走上來，吃吾之棒！』那怪物那怕甚麽賭鬥，挺鋼槍劈面迎來。這一場好殺！你看那：

金箍棒舉，長桿槍迎。金箍棒舉，亮藿藿似電掣金蛇；長桿槍迎，明幌幌如龍離黑海。那門前小妖擂鼓，排開陣勢助威風；這壁廂大聖施功，使出縱橫逞本事。他那裏一桿槍，精神抖擻；我這裏一條棒，武藝高強。正是英雄相遇英雄漢，果然對手才逢對手人。那魔王口噴紫氣盤煙霧，這大聖眼放光華結綉雲。祇爲大唐僧有難，兩家無義苦爭掄。

他兩個戰經三十合，不分勝負。那魔王見孫悟空棍法齊整，一往一來，全無些破綻，喜得他連聲喝采道：『好猴兒！好猴兒！真個是那鬧天宮的本事！』這大聖也愛他槍法不亂，右遮左擋，甚有解數，也叫道：『好妖精！好妖精！果然是一個偷丹的魔頭！』二人又鬥了一二十合。

那魔王把槍尖點地，喝令小妖齊來。那些潑怪，一個個拿刀弄杖，執劍輪槍，把個孫大聖圍在中間。行者公然不懼，祇叫：『來得好！來得好！正合吾意！』使一條金箍棒，前迎後架，東擋西除。那伙群妖，莫想肯退。行者忍不住焦躁，把金箍棒丢將起去，喝聲『變！』即變作千百條鐵棒，好便似飛蛇走蟒，盈空裏亂落下來。那伙妖精見了，一個個魄散魂飛，抱頭縮頸，盡往洞中逃命。老魔王唏唏冷笑道：『那猴不要無禮！看手段！』即忙袖中取出一個亮灼灼白森森的圈子來，望空抛起，叫聲『着！』唿喇一下，把金箍棒收做一條，套將去了。弄得孫大聖赤手空拳，翻筋斗逃了性命。那妖魔得勝回歸洞，行者朦朧失主張。這正是：

道高一尺魔高丈，性亂情昏錯認家。可恨法身無坐位，當時行動念頭差。

畢竟不知這番怎麽結果，且聽下回分解。

總評：

篇中云『道高一尺魔高丈』，的是名言。若無彼丈魔，亦無此尺道，即所雲沙裏淘金是也。離沙決無有金理，離魔亦決無有道理。

第五十一回 心猿空用千般計 水火無功難煉魔

話説齊天大聖，空着手敗了陣，來坐于金峴山後，撲梭梭兩眼滴泪，叫道：『師父啊！指望和你：

佛恩有德有和融，同幼同生意莫窮。同住同修同解脱，同慈同念顯靈功。同緣同相心真契，同見同知道轉通。
豈料如今無主杖，空拳赤脚怎興隆！』

大聖淒慘多時，心中暗想道：『那妖精認得我。我記得他在陣上誇奬道：「真個是鬧天宮之類！」這等看來，決不是凡間怪物，定然是天上凶星。想因思凡下界。又不知是那裏降下來魔頭，且須上界去查勘查勘。』

行者這才是以心問心，自張自主，急翻身，縱起祥雲，直至南天門外。忽抬頭見廣目天王，當面迎着長揖道：『大聖何往？』行者道：『有事要見玉帝。你在此何幹？』廣目道：『今日輪該巡視南天門。』説未了，又見那馬、趙、温、關四大元帥作禮道：『大聖，失迎。請待茶。』行者道：『有事哩。』遂辭了廣目并四元帥，徑入南天門裏。直至靈霄殿外，果又見張道陵、葛仙翁、許旌陽、邱弘濟四天師併南斗六司、北斗七元都在殿前迎着行者，一齊起手道：『大聖如何到此？』又問：『保唐僧之功完否？』行者道：『早哩！早哩！路遥魔廣，才有一半之功。見如今阻住在金峴山金峴洞。有一個兕怪，把唐師父拿于洞裏，是老孫尋上門與他交戰一場，那厮的神通廣大，把老孫的金箍棒搶去了，因此難縛魔王。疑是上界那個凶星思凡下界，又不知是那裏降來的魔頭，老孫因此來尋尋玉帝，問他個鉗束不嚴。』許旌陽笑道：『這猴頭還是如此放刁！』行者道：『不是放刁，我老孫一生是這口兒緊些，才尋的着個頭兒。』張道陵道：『不消多説，衹與他傳報便了。』行者道：『多謝！多謝！』

當時四天師傳奏靈霄，引見玉陛。行者朝上唱個大喏道：『老官兒，累你！累你！我老孫保護唐僧往西天取經，一路凶多吉少，也不消説。于今來在金峴山金峴洞，有一兕怪，把唐僧拿在洞裏，不知是要蒸，要煮，要曬。是老孫尋上他門，與他交戰，那怪却説有些認得老孫，卓是神通廣大，把老孫的金箍棒搶去，因此難縛妖魔。疑

是上天凶星，思凡下界，爲此老孫特來啓奏。伏乞天尊垂慈洞鑒，降旨查勘凶星，發兵收剿妖魔，老孫不勝戰栗屏營之至！』却又打個深躬道：『以聞。』旁有葛仙翁笑道：『猴子是何前倨後恭？』行者道：『不敢！不敢！不是甚前倨後恭，老孫于今是没棒弄了。』

彼時玉皇天尊聞奏，即忙降旨可韓司知道：『既如悟空所奏，可隨查諸天星斗，各宿神王，有無思凡下界，隨即復奏施行，以聞。』可韓丈人真君領旨，當時即同大聖去查。先查了四天門門上神王官吏；次查了三微垣垣中大小群真；又查了雷霆官將陶、張、辛、鄧，苟、畢、龐、劉；最後才查三十三天，天天自在；又查二十八宿：東七宿，角、亢、氐、房、參、尾、箕；西七宿，鬥、牛、女、虛、危、室、壁；南七宿，北七宿，宿宿安寧；又查了太陽、太陰、水、火、木、金、土七政；羅睺、計都、炁、孛四餘。滿天星鬥，并無思凡下界。行者道：『既是如此，我老孫也不消上那靈霄寶殿。打攪玉皇大帝，深爲不便。——你自回旨去罷。我衹在此等你回話便了。』那可韓丈人真君依命。孫行者等候良久，作詩紀興曰：

風清雲霽樂昇平，神静星明顯瑞禎。河漢安寧天地泰，五方八極偃戈旌。

那可韓司丈人真君，歷歷查勘，回奏玉帝道：『滿天星宿不少，各方神將皆存，并無思凡下界者。』玉帝聞奏：『着孫悟空挑選幾員天將，下界擒魔去也。』四大天師奉旨意，即出靈霄寶殿，對行者道：『大聖啊，玉帝寬恩，言天宮無神思凡，着你挑選幾員天將，擒魔去哩。』行者低頭暗想道：『天上將不如老孫者多，勝似老孫者少。想我鬧天宮時，玉帝遣十萬天兵，佈天羅地網，更不曾有一將敢與我比手。向後來，調了小聖二郎，方是我的對手。如今那怪物手段又强似老孫，却怎麽得能够取勝？』許旌陽道：『此一時，彼一時，大不同也。常言道「一物降一物」哩。你好違了旨意？但憑高見，選用天將，勿得遲疑誤事。』行者道：『既然如此，深感上恩。果是不好違旨。一則老孫又不可空走這遭，煩旌陽轉奏玉帝，祇教托塔李天王與哪吒太子。他還有幾件降妖兵器，且下界與那怪見一仗，

以看如何。果若能擒得他，是老孫之幸；若不能，那時再作區處。」

真個那天師啓奏了玉帝，玉帝即令李天王父子，率領衆部天兵，與行者助力。那天王即奉旨來會行者。行者又對天師道：「蒙玉帝遣差天王，謝謝不盡。還有一事，再煩轉達：但得兩個雷公使用，等天王戰鬥之時，教雷公在雲端裏下個雷楔，照頂門上錠死那妖魔，深爲良計也。」天師笑道：「好！好！好！」天師又奏玉帝，傳旨教九天府下點鄧化、張蕃二雷公，與天王合力縛妖救難。遂與天王、孫大聖徑下南天門外。

頃刻而到。行者道：「此山便是金嶢山。山中間乃是金嶢洞。列位商議，却教那個先去索戰？」天王停下雲頭，紮住天兵在于山南坡下，道：「大聖素知小兒哪吒，曾降九十六洞妖魔，善能變化，隨身有降妖兵器，須教他先去出陣。」行者道：「既如此，等老孫引太子去來。」那太子抖擻雄威，與大聖跳在高山，徑至洞口，但見那洞門緊閉，崖下無精。行者上前高叫：「潑魔！快開門！還我師父來也！」那洞裏把門的小妖看見，急報道：「大王，孫行者領着一個小童男，在門前叫戰哩。」那魔王道：「這猴子鐵棒被我奪了，空手難爭，想是請得救兵來也。」叫：「取兵器！」魔王綽槍在手，走到門外觀看，那小童男，生得相貌清奇，十分精壯。真個是：

玉面嬌容如滿月，朱唇方口露銀牙。眼光掣電睛珠暴，額闊凝霞髮髻髽。綉帶舞風飛彩焰，錦袍映日放金花。環絛灼灼攀心鏡，寶甲輝輝襯戰靴。身小聲洪多壯麗，三天護教惡哪吒。

魔王笑道：「你是李天王第三個孩兒，名喚做哪吒太子，却如何到我這門前呼喝？」太子道：「因你這潑魔作亂，困害東土聖僧，奉玉帝金旨，特來拿你！」魔王大怒道：「你想是孫悟空請來的。我就是那聖僧的魔頭哩！量你這小兒曹有何武藝，敢出朗言！不要走！吃吾一槍！」

這太子使斬妖劍，劈手相迎。他兩個搭上手，却纔賭鬥，那大聖急轉山坡，叫：「雷公何在？快早去，着妖魔下個雷楔，助太子降伏來也！」鄧、張二公，即踏雲光。正欲下手，祇見那太子使出法來，將身一變，變作三頭六臂，手持六般兵器，望妖魔砍來；那魔王也變作三頭六臂，三柄長槍抵住。這太子又弄出降妖法力，將六般兵器抛將起去。是那六般兵器？却是砍妖劍、斬妖刀、縛妖索、降魔杵、綉球、火輪兒。大叫一聲「變！」一變十，十變百，百變千，千變萬，都是一般兵器，如驟雨冰雹，紛紛密密，望妖魔打將去。那魔王公然不懼，一隻手取出那白森森的圈子來，望空抛起，叫聲「着！」唿喇的一下，把六般兵器套將下來，慌得那哪吒太子，赤手逃生。魔王得勝而回。

鄧、張二雷公，在空中暗笑道：「早是我先看頭勢，不曾放了雷楔。假若被他套將去，却怎麼回見天尊？」二公按落雲頭，與太子來山南坡下，對李天王道：「妖魔果神通廣大！」悟空在旁笑道：「那廝神通也祇如此，争奈那個圈子利害。不知是甚麼寶貝，丢起來善套諸物。」哪吒恨道：「這大聖甚不成人！我等折兵敗陣，十分煩惱，都祇爲你；你反喜笑何也！」行者道：「你説煩惱，終然我老孫不煩惱？我如今没計奈何，哭不得，所以只得笑也。」天王道：「似此怎生結果？」行者道：「憑你等再怎計較；只是圈子套不去的，就可拿住他了。」天王道：「套不去者，惟水火最利。常言道：『水火無情。』」行者聞言道：「説得有理！你且穩坐在此，待老孫再上天走走來。」鄧、張二公道：「又去做甚的？」行者道：「老孫這去，不消啓奏玉帝，祇到南天門裏，上彤華宮，請熒惑火德星君來此放火，燒那怪物一場，或者連那圈子燒做灰燼，捉住妖魔。一則取兵器還汝等歸天，二則可解脱吾師之難。」太子聞言甚喜，道：「不必遲疑，請大聖早去早來。我等祇在此拱候。」

行者縱起祥光，又至南天門外。那廣目與四將迎道：「大聖如何又來？」行者道：「李天王着太子出師，祇一陣，被那魔王把六件兵器撈了去了。我如今要到彤華宮請火德星君助陣哩。」四將不敢久留，讓他進去。至彤華宮，祇見那火部衆神，即入報道：「孫悟空欲見主公。」那南方三炁火德星君，整衣出門迎進道：「昨日可韓司查點小宮，更無一人思凡。」行者道：「已知。但李天王與太子敗陣，失了兵器，特來請你救援救援。」星君道：「那哪吒乃

三壇海會大神，他出身時，曾降九十六洞妖魔，神通廣大；若他不能，小神又怎敢望也？』行者道：『因與李天王計議，天地間至利者，惟水火也。那怪物有一個圈子，善能套人的物件，不知是甚麼寶貝，故此説火能滅諸物，特請星君領火部到下方縱火燒那妖魔，救我師父一難。』

火德星君聞言，即點本部神兵，同行者到金峴山南坡下，與天王、雷公等相見了。天王道：『孫大聖，你還去叫那廝出來，等我與他交戰。待他拿動圈子，我却閃過，教火德帥衆燒他。』行者笑道：『正是，我和你去來。』火德共太子、鄧、張二公立于高峰之上，與他挑戰。

這大聖到了金峴洞口，叫聲『開門！快早還我師父！』那妖又急通報道：『孫悟空又來了！』那魔帥衆出洞，見了行者道：『你這潑猴，又請了甚麼兵來耶？』這壁厢轉上托塔天王，喝道：『潑魔頭！認得我麼？』魔王笑道：『李天王，想是要與你令郎報仇，欲討兵器麼？』天王道：『一則報仇要兵器，二來是拿你救唐僧！不要走！吃吾一刀！』那怪物側身躲過，挺長槍，隨手相迎。他兩個在洞前，這場好殺！你看那：

天王刀砍，妖怪槍迎。刀砍霜光噴烈火，槍迎鋭氣迸愁雲。一個是金峴山生成的惡怪，一個是靈霄殿差下的天神。那一個因欺禪性施威武，這一個為救師災展大倫。天王使法飛沙石，魔怪爭强播土塵。播土能教天地暗，飛沙善着海江渾。兩家努力爭功績，皆為唐僧拜世尊。

那孫大聖，見他兩個交戰，即轉身跳上高峰，對火德星君道：『三兲用心者！』你看那個妖魔與天王正鬥到好處，却又取出圈子來。天王看見，即撥祥光，敗陣而走。這高峰上火德星君，忙傳號令，教衆部火神，一齊放火。這一場真個利害。好火：

經云：『南方者火之精也。』雖星星之火，能燒萬頃之田；乃三炁之威，能變百端之火。今有火槍、火刀、火弓、火箭，各部神祇，所用不一，但見那半空中，火鴉飛噪；滿山頭，火馬奔騰。雙雙赤鼠，對對火龍。雙雙赤

鼠噴烈焰，萬里通紅；對對火龍吐濃煙，千方共黑。火車兒推出，火葫蘆撒開。火旗搖動一天霞，火棒攪行盈地燎。說甚麼甯戚鞭牛，勝强似周郎赤壁。這個是天火非凡真利害，烘烘烒烒火風紅！

那妖魔見火來時，全無恐懼。將圈子望空拋起，唿喇一聲，把那火龍、火馬、火鴉、火鼠、火槍、火刀、火弓、火箭，一圈子又套將下去，轉回本洞，得勝收兵。

這火德星君，手執着一桿空旗，招回衆將，會合天王等，坐于山南坡下，對行者道：『大聖啊，這個凶魔，真是罕見！我今折了火具，怎生是好？』行者笑道：『不須報怨。列位且請寬坐坐，待老孫再去去來。』天王道：『你又往那裏去？』行者道：『那怪物既不怕火，斷然怕水。常言道：「水能克火。」等老孫去北天門裏，請水德星君施佈水勢，往他洞裏一灌，把魔王淹死，取物件還你們。』天王道：『此計雖妙，但恐連你師父都淹殺也。』行者道：『沒事，淹死我師，我自有個法兒教他活來。如今稽遲列位，甚是不當。』火德道：『既如此，且請行，請行。』

好大聖，又駕筋斗雲，徑到北天門外。忽抬頭，見多聞天王向前施禮道：『孫大聖何往？』行者道：『有一事要入烏浩宮見水德星君。你在此作甚？』多聞道：『今日輪該巡視。』見說處，又見那龐、劉、苟、畢四大天將，進禮邀茶。行者道：『不勞！不勞！我事急矣！』遂別却諸神，直至烏浩宮，着水部衆神即時通報。衆神報道：『齊天大聖孫悟空來了。』水德星君聞言，即將查點四海五湖、八河四瀆、三江九派併各處龍王俱遣退。整冠束帶，接出宮門，迎進宮內道：『昨日可韓司查勘小宮，恐有本部之神，思凡作怪，正在此點查江海河瀆之神，尚未完也。』行者道：『那魔王不是江河之神，此乃廣大之精。先蒙玉帝差李天王父子併兩個雷公下界擒拿，被他弄個圈子，將六件神兵套去。老孫無奈，又上彤華宮請火德星君帥火部衆神放火，又將火龍、火馬等物，一圈子套去。我想此物既不怕火，必然怕水，特來告請星君，施水勢，與我捉那妖精，取兵器歸還天將。吾師之難，亦可救也。』水德聞言，即令黃河水伯神王：『隨大聖去助功。』水伯自衣袖中取出一個白玉盂兒道：『我有此物盛水。』行者道：『看！這盂兒能盛幾何？妖魔如何淹得？』水伯道：『不瞞大聖說。我這一盂，乃是黃河之水。半盂就是半河，一盂就是一河。』行者喜道：『衹消半盂足矣。』遂辭別水德，與黃河神急離天闕。

那水伯將盂兒望黃河舀了半盂，跟大聖至金峴山，向南坡下見了天王、太子、雷公、火德，具言前事。行者道：『不必細講，且教水伯跟我去。待我叫開他門，不要等他出來，就將水往門裏一倒，那怪物一窩子可都淹死，我却去撈師父的屍首，再救活不遲。』那水伯依命，緊隨行者，轉山坡，徑至洞口，叫聲『妖怪開門！』那把門的小妖，聽得是孫大聖的聲音，急又去報道：『孫悟空又來矣！』

那魔聞說，帶了寶貝，綽槍就走，響一聲，開了石門。這水伯將白玉盂向裏一傾，那妖見是水來，撒了長槍，即忙取出圈子，撐住二門。衹見那股水骨都都的都往外泛將出來，慌得孫大聖急縱筋斗，與水伯跳在高峰。那天王同衆都駕雲停于高峰之前，觀看那水。波濤泛漲，着實狂瀾。好水！真個是：

一勺之多，果然不測。蓋唯神功運化，利萬物而流漲百川。衹聽得那潺潺聲振谷，又見那滔滔勢漫天。雄威響若雷奔走，猛湧波如雪捲顛。千丈波高漫路道，萬層濤激泛山岩。冷冷如漱玉，滾滾似鳴弦。觸石滄滄噴碎玉，回湍渺渺漩窩圓。低低凹凹隨流蕩，滿澗平溝上下連。

行者見了心慌道：『不好啊！水漫四野，淹了民田，未曾灌在他的洞裏，曾奈之何？』喚水伯急忙收水。水伯道：『小神衹會放水，却不會收水。常言道：「潑水難收。」』咦！那座山却也高峻，這場水衹奔低流。須臾間，四散而歸澗壑。又衹見那洞外跳出幾個小妖，在外邊吆吆喝喝，伸拳邏袖，弄棒拈槍，依舊喜喜歡歡耍子。天王道：『這水原來不曾灌入洞內，枉費一場之功也！』

行者忍不住心中怒發，雙手輪拳，闖至妖魔門首，喝道：『那裏走！看打！』唬得那幾個小妖，丟了槍棒，跑入洞裏，戰兢兢的報道：『大王！不好了！打將來了！』魔王挺長槍，迎出門前道：『這潑猴老大憊懶！你幾

第五十二回 悟空大鬧金𡸁洞 如來暗示主人公

話説孫大聖得了金箍棒，打出門前，跳上高峰，對衆神滿心歡喜。李天王道：「你這場如何？」行者道：「老孫變化，進他洞去，那怪物越發唱唱舞舞的，吃得勝酒哩，更不曾打聽得他的寶貝在那裏。我轉他後面，忽聽得馬叫龍吟，知是火部之物。東壁廂靠着我的金箍棒，是老孫拿在手中，一路打將出來也。」衆神道：「你的寶貝得了，我們的寶貝何時到手？」行者道：「不難！不難！我有了這根鐵棒，不管怎的，也要打倒他，取寶貝還你。」正講處，衹聽得那山坡下鑼鼓齊鳴，喊聲振地。原來是兕大王帥衆精靈來趕行者。行者見了，叫道：「好，好，好！正合吾意！列位請坐，待老孫再去捉他。」

好大聖，舉鐵棒劈面迎來，喝道：「潑魔那裏走！看棍！」那怪使槍支住，罵道：「賊猴頭！着實無禮！你怎麽白晝劫吾物件？」行者道：「我把你這個不知死的孽畜！你倒弄圈套白晝搶奪我物！那件兒是你的？不要走！吃老爺一棍！」那怪物輪槍隔架。這一場好戰：

> 大聖施威猛，妖魔不順柔。兩家齊鬥勇，那個肯乾休！這一個鐵棒如龍尾，那一個長槍似蟒頭。這一個棒來解數如風響，那一個槍架雄威似水流。衹見那彩霧朦朦山嶺暗，祥雲靉靆樹林愁。滿空飛鳥皆停翅，四野狼蟲盡縮頭。那陣上小妖吶喊，這壁廂行者抖擻。一條鐵棒無人敵，打遍西方萬里遊。那桿長槍真對手，永鎮金𡸁稱上籌。相遇這場無好散，不見高低誓不休。

那魔王與孫大聖戰經三個時辰，不分勝敗，早又見天色將晚。妖魔支着長槍道：「悟空，你住了。天昏地暗，不是個賭鬥之時，且各歇息歇息，明朝再與你比迸。」行者罵道：「潑畜休言！老孫的興頭才來，管甚麽天晚！是必與你定個輸贏！」那怪物喝一聲，虛幌一槍，逃了性命，帥群妖收轉乾戈，入洞中將門緊緊閉了。

這大聖拽棍方回，天神在岸頭賀喜，都道：「是有能有力的大齊天，無量無邊的真本事！」行者笑道：「承過獎！

承過獎！」李天王近前道：「此言實非褒獎，真是一條好漢子！這一陣也不亞當時瞞地網罩天羅也！」行者道：「且休題夙話。那妖魔被老孫打了這一場，必然疲倦。我也説不得辛苦，你們都放懷坐坐，等我再進洞去打聽他的圈子，務要偷了他的，捉住那怪，尋取兵器，奉還汝等歸天。」太子道：「今已天晚，不若安眠一宿，明早去罷。」行者笑道：「這小郎不知世事！那見做賊的好白日裏下手？似這等掏摸的，必須夜去夜來，不知不覺，才是買賣哩。」火德與雷公道：「三太子休言。這件事我們不知。大聖是個慣家熟套，須教他趁此時候，一則魔頭睏倦，二來夜黑無防，就請快去！快去！」

好大聖，笑唏唏的，將鐵棒藏了，跳下高峰，又至洞口。摇身一變，變作一個促織兒。真個：

> 嘴硬鬚長皮黑，眼明爪脚丫叉。風清月明叫墻涯，夜静如同人話。泣露凄凉景色，聲音斷續堪誇。客窗旅思怕聞他，偏在空階床下。

蹬開大腿，三五跳，跳到門邊，自門縫裏鑽將進去，蹲在那壁根下，迎着裏面燈光，仔細觀看。衹見那大小群妖，一個個狼餐虎咽，正都吃東西哩。行者揲揲錘錘的叫了一遍。少時間，收了傢火，又都去安排窩鋪，各各安身。約摸有一更時分，行者才到他後邊房裏，衹聽那老魔傳令，教：「各門上小的醒睡！恐孫悟空又變甚麽，私入家偷盗。」又有些該班坐夜的，滌滌托托，梆鈴齊響。

這大聖越好行事。鑽入房門，見有一架石床，左右列幾個抹粉搽胭的山精樹鬼，展鋪蓋伏侍老魔，脱脚的脱脚，解衣的解衣。衹見那魔王寬了衣服，左胳膊上，白森森的套着那個圈子，原來像一個連珠鐲頭模樣。你看他更不取下，轉往上抹了兩抹，緊緊的勒在胳膊上，方纔睡下。行者見了，將身又變，變作一個黄皮蛇蚤，跳上石床，鑽入被裏，爬在那怪的胳膊上，着實一口，叮的那怪翻身罵道：「這些少打的奴才！被也不抖，床也不拂，不知甚麽東西，咬了我這一下！」他却把圈子又捋上兩捋，依然睡下。行者爬上那圈子，又咬一口。那怪睡不得，又翻過身來道：

『刺鬭殺我也！』

行者見他關防得緊，寶貝又隨身，不肯除下，料偷他的不得。跳下床來，還變做促織兒，出了房門，徑至後面，又聽得龍吟馬嘶。原來那層門緊鎖，火龍、火馬，都吊在裏面。行者現了原身，走近門前，使個解鎖法，念動咒語，用手一抹，扢扠一聲，那鎖雙鐄俱就脱落，推開門，闖將進去觀看，原來那裏面被火器照得明晃晃的，如白日一般。忽見東西兩邊斜靠着幾件兵器，都是太子的砍妖刀等物，併那火德的火弓、火箭等物。行者映火光，周圍看了一遍，又見那門背後一張石桌子上有一個篾絲盤兒，放着一把毫毛。大聖滿心歡喜，將毫毛拿起來，呵了兩口熱氣，叫聲『變！』即變作三五十個小猴，教他都拿了刀、劍、杵、索、球、輪及弓、箭、槍、車、葫蘆、火鴉、火鼠、火馬，一應套去之物，跨了火龍，縱起火勢，從裏面往外燒來。祇聽得烘烘烘烘，撲撲乒乒，好便似咋雷連炮之聲。慌得那些大小妖精，夢夢查查的，抱着被，矇着頭，喊的喊，哭的哭，一個個走頭無路，被這火燒死大半。美猴王得勝回來，只好有三更時候。

却説那高峰上，李天王衆位，忽見火光幌亮，一擁前來。見行者騎着龍，喝喝呼呼，縱着小猴，徑上峰頭，厲聲高叫道：『來收兵器！來收兵器！』火德與哪吒答應一聲，這行者將身一抖，那把毫毛復上身來。哪吒太子收了他六件兵器，火德星君着衆火部收了火龍等物，都笑吟吟讚賀行者不題。

却説那金皘洞裏火焰紛紛，唬得個兕大王魂不附體，急欠身開了房門，雙手拿着圈子，東推東火滅，西推西火消，滿空中冒煙突火，執着寶貝跑了一遍，四下裏煙火俱熄。急忙收救群妖，已此燒殺大半，男男女女，收不上百十餘丁；又查看藏兵之内，各件皆無；又去後面看處，見八戒、沙僧與長老還捆住未解，白龍馬還在槽上，行李擔亦在屋裏。妖魔遂恨道：『不知是那個小妖不仔細，失了火，致令如此！』旁有近侍的告道：『大王，這火不幹本家之事，多是個偷營劫寨之賊，放了那火部之物，盜了神兵去也。』老魔方然省悟道：『没有别人，斷乎是孫悟空那賊！怪道我臨睡時不得安穩！想是那賊猴變化進來，在我這胳膊叮了兩口。一定是要偷我的寶貝，見我抹勒得緊，不能下手，故此盜了兵器，縱着火龍，放此狠毒之心，意欲燒殺我也。——賊猴啊！你枉使機關，不知我的本事！我但帶了這件寶貝，就是入大海而不能溺，赴火池而不能焚哩！這番若拿住那賊，祇把刮了點垛，方趁我心！』

説着話，懊惱多時，不覺的鷄鳴天曉。那高峰上太子得了六件兵器，對行者道：『大聖，天色已明，不須怠慢。我們趁那妖魔挫了鋭氣，與火部等扶住你，再去力戰，庶幾這次可擒拿也。』行者笑道：『説得有理。我們齊了心，耍子兒去耶！』一個個抖擻威風，喜弄武藝，徑至洞口。行者叫道：『潑魔出來！與老孫打者！』原來那裏兩扇石門被火氣化成灰燼，門裏邊有幾個小妖，正然掃地撮灰。忽見衆聖齊來，慌得丢了掃帚，撇下灰杷，跑入裏面，又報道：『孫悟空領着許多天神，又在門外罵戰哩！』

那兕怪聞報大驚。扢迸迸，鋼牙咬響；滴溜溜，環眼睁圓。挺着長槍，帶了寶貝，走出門來，潑口亂罵道：『我把你這個偷營放火的賊猴！你有多大手段，敢這等藐視我也？』行者笑臉兒罵道：『潑怪物！你要知我的手段，且上前來，我説與你聽：

自小生來手段强，乾坤萬里有名揚。當時穎悟修仙道，昔日傳來不老方。立志拜投方寸地，虔心參見聖人鄉。學成變化無量法，宇宙長空任我狂。閑在山前將虎伏，悶來海内把龍降。祖居花果稱王位，水簾洞裏逞剛强。幾番有意圖天界，數次無知奪上方。御賜齊天名大聖，敕封又贈美猴王。祇因宴設蟠桃會，無簡相邀我性剛。暗闖瑶池偷玉液，私行寶閣飲瓊漿；龍肝鳳髓曾偷吃，百味珍饈我竊嚐；千載蟠桃隨受用，萬年丹藥任充腸；天宫异物般般取，聖府奇珍件件藏。玉帝訪我有手段，即發天兵擺戰場。九曜惡星遭我貶，五方兇宿被吾傷。普天神將皆無敵，十萬雄師不敢當。威逼玉皇傳旨意，灌江小聖把兵揚。相持七十單二變，各弄精神個個强。南海觀音來助戰，净瓶楊柳也相幫。老君又使金剛套，把我擒拿到上方。綁見玉皇張大帝，曹官拷較罪該當。即差大力開刀

斬，刀砍頭皮火焰光。百計千方弄不死，將吾押赴老君堂。六丁神火爐中煉，煉得渾身硬似鋼。七七數完開鼎看，我身跳出又兇張。諸神閉户無遮擋，衆聖商量把佛央。其實如來多法力，果然智慧廣無量。手中賭賽翻筋斗，將山壓我不能强。玉皇才設「安天會」，西域方稱極樂場。壓困老孫五百載，一些茶飯不曾嘗。金蟬長老臨凡世，東土差他拜佛鄉。欲取真經回上國，大唐帝主度先亡。觀音勸我皈依善，秉教迦持不放狂。解脱高山根下難，如今西去取經章。潑魔休弄獐狐智，還我唐僧拜法王！」

那怪聞言，指着行者道：「你原來是個偷天的大賊！不要走！吃吾一槍！」這大聖使棒來迎。兩個正自相持，這壁廂哪吒太子生嗔，火德星君發狠，即將那六件神兵，火部等物，望妖魔身上拋來。孫大聖更加雄勢。一邊又雷公使掮，天王舉刀，不分上下，一擁齊來。那魔頭巍巍冷笑，袖子中暗暗將寶貝取出，撒手拋起空中，叫聲「着！」唿喇的一下，把六件神兵、火部等物、雷公掮、天王刀、行者棒，盡情又都撈去。衆神靈依然赤手，孫大聖仍是空拳。妖魔得勝回身，叫：「小的們，搬石砌門，動土修造，從新整理房廊。待齊備了，殺唐僧三衆來謝土，大家散福受用。」衆小妖領命維持不題。

却説那李天王帥衆回上高峰，火德怨哪吒性急，雷公怪天王放刁，惟水伯在旁無語。行者見他們面不厮睹，心有縈思，没奈何，懷恨强歡，對衆笑道：「列位不須煩惱。自古道：『勝敗兵家之常。』我和他論武藝，也祇如此；但只是他多了這個圈子，所以爲害，把我等兵器又套將去了。你且放心，待老孫再去查查他的脚色來也。」太子道：「你前啓奏玉帝，查勘滿天世界，更無一點踪跡；如今却又何處去查？」行者道：「我想起來，佛法無邊。如今且上西天問我佛如來，教他着慧眼觀看大地四部洲，看這怪是那方生長，何處鄉貫住居，圈子是件甚麼寶貝。不管怎的，一定要拿他，與列位出氣，還汝等歡喜歸天。」衆神道：「既有此意，不須久停，快去！快去！」

好行者，説聲去，就縱筋斗雲，早至靈山。落下祥光，四方觀看，好去處：

靈峰疏杰，迭嶂清佳，仙嶽頂巔摩碧漢。西天瞻巨鎮，形勢壓中華。元氣流通天地遠，威風飛徹滿臺花。時聞鐘磬音長，每聽經聲明朗。又見那青松之下優婆講，翠柏之間羅漢行。白鶴有情來鷲嶺，青鸞着意佇閑亭。玄猴對對擎仙果，壽鹿雙雙獻紫英。幽鳥聲頻如訴語，奇花色絢不知名。回巒盤繞重重顧，古道灣環處處平。正是清虚靈秀地，莊嚴大覺佛家風。

那行者正然點看山景，忽聽得有人叫道：「孫悟空，從哪裏來？往何處去？」急回頭看，原來是比丘尼尊者。大聖作禮道：「正有一事，欲見如來。」比丘尼道：「你這個頑皮！既然要見如來，怎麼不登寶刹，且在這裏看山？」行者道：「初來貴地，故此大膽。」比丘尼道：「你快跟我來也。」這行者緊隨至雷音寺山門下，又見那八大金剛，雄糾糾的，兩邊擋住。比丘尼道：「悟空，暫候片時，等我與你奏上去來。」行者只得住立門外。那比丘尼至佛前合掌道：「孫悟空有事，要見如來。」如來傳旨令入，金剛纔閃路放行。

行者低頭禮拜畢，如來問道：「悟空，前聞得觀音尊者解脱汝身，皈依釋教，保唐僧來此求經，你怎麼獨自到此？有何事故？」行者頓首道：「上告我佛。弟子自秉迦持，與唐朝師父西來，行到金兜山金兜洞，遇着一個惡魔頭，名唤兕大王，神通廣大，把師父與師弟等攝入洞中。弟子向伊求取，没好意，兩家比迸，被他將一個白森森的一個圈子，搶了我的鐵棒。我恐他是天將思凡，急上界查勘不出。蒙玉帝差遣李天王父子助援，又被他搶了太子的六般兵器。及請火德星君放火燒他，又被他將火具搶去。又請水德星君放水淹他，一毫又淹他不着。弟子費若幹精神氣力，將那鐵棒等物偷出，復去索戰，又被他將前物依然套去，無法收降。因此特告我佛：望垂慈與弟子看看，果然是何物出身，我好去拿他家屬四鄰，擒此魔頭，救我師父，合拱虔誠，拜求正果。」

如來聽説，將慧眼遥觀，早已知識。對行者道：「那怪物我雖知之，但不可與你説。你這猴兒口敞，一傳道是我説他，他就不與你鬥，定要嚷上靈山，反遺禍于我也。我這裏着法力助你擒他去罷。」行者再拜稱謝道：「如

來助我甚麼法力？」如來即令十八尊羅漢開寶庫取十八粒「金丹砂」與悟空助力。行者道：「金丹砂却如何？」如來道：「你去洞外，叫那妖魔比試。演他出來，却教羅漢放砂，陷住他，使他動不得身，拔不得脚，憑你揪打便了。」行者笑道：「妙！妙！妙！趁早去來！」

那羅漢不敢遲延，即取金丹砂出門。行者又謝了如來。一路查看，止有十六尊羅漢，行者嚷道：「這是那個去處，却賣放人！」衆羅漢道：「那個賣放？」行者道：「原差十八尊，今怎麼只得十六尊？」說不了，裏邊走出降龍、伏虎二尊，上前道：「悟空，怎麼就這等放刁？我兩個在後聽如來吩咐話的。」行者道：「忒賣法！忒賣法！我要若嚷遲了些兒，你敢就不出來了！」衆羅漢笑呵呵駕起祥雲。

不多時，到了金岘山界。那李天王見了，帥衆相迎，備言前事。羅漢道：「不必絮繁，快去叫他出來。」這大聖捻着拳頭，來于洞口，罵道：「腯潑怪物，快出來與你孫外公見個上下！」那小妖又飛跑去報。魔王怒道：「這賊猴又不知請誰來猖獗也！」小妖道：「更無甚將，止他一人。」魔王道：「那根棒子已被我收來，怎麼却又一人到此？敢是又要走拳？」隨帶了寶貝，綽槍在手，叫小妖搬開石塊，跳出門來，罵道：「賊猴！你幾番家不得便宜，就該回避，如何又來吆喝？」行者道：「這潑魔不識好歹！若要你外公不來，除非你服了降，陪了禮，送出我師父、師弟，我就饒你！」那怪道：「你那三個和尚已被我洗净了，不久便要宰殺，你還不識起倒？去了罷！」

行者聽說「宰殺」二字，扢蹬蹬，腮邊火發，按不住心頭之怒，丟了架子，輪着拳，斜行拗步，望妖魔使個挂面。那怪展長槍，劈手相迎。行者左跳右跳，哄那妖魔。妖魔不知是計，趕離洞口南來。行者即招呼羅漢把金丹砂望妖魔一齊拋下，共顯神通，好砂！正是那：

似霧如煙初散漫，紛紛靄靄下天涯。白茫茫，到處迷人眼；昏漠漠，飛時找路差。打柴的樵子失了伴，采藥的仙童不見家。細細輕飄如麥面，粗粗翻復似芝麻。世界朦朧山頂暗，長空迷没太陽遮。不比囂塵隨駿馬，難言

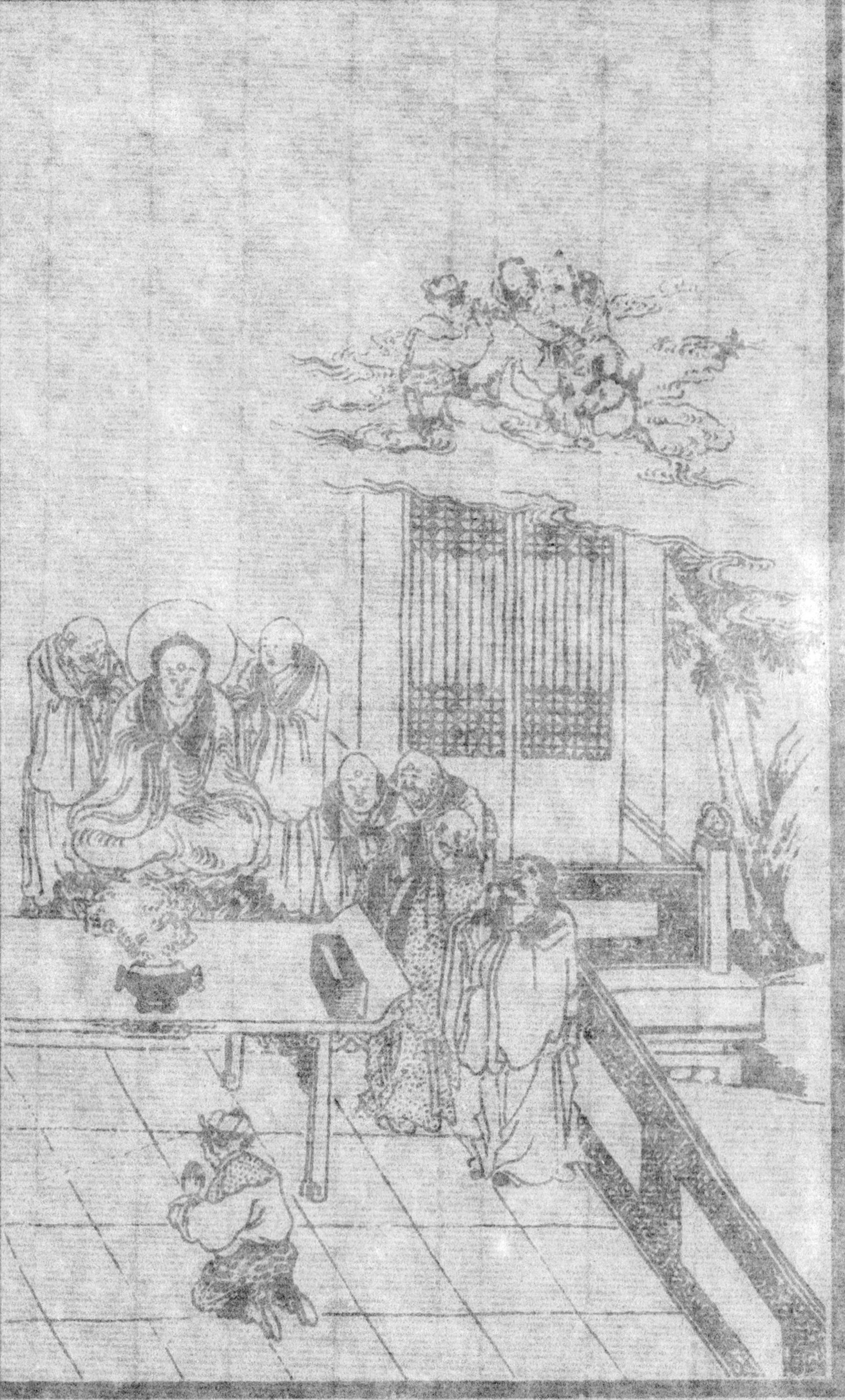

輕軟襯香車。此砂本是無情物，蓋地遮天把怪拿。祇爲妖魔侵正道，阿羅奉法逞豪華。手中就有明珠現，等時刮得眼生花。

那妖魔見飛砂迷目，把頭低了一低，足下就有三尺餘深；慌得他將身一縱，跳在浮上一層，未曾立得穩，須臾，又有二尺餘深。那怪急了，拔出脚來，即忙取圈子，往上一撇，叫聲『着！』唿喇的一下，把十八粒金丹砂又盡套去，拽回步，徑歸本洞。

那羅漢一個個空手停雲。行者近前問道：『衆羅漢，怎麽不下砂了？』羅漢道：『適纔響了一聲，金丹砂就不見矣。』行者笑道：『又是那話兒套將去了。』天王等衆道：『這般難伏啊，却怎麽捉得他，何日歸天，何顏見帝也！』

旁有降龍、伏虎二羅漢，對行者道：『悟空，你曉得我兩個出門遲滯何也？』行者道：『老孫祇怪你躲避不來，却不知有甚話說。』羅漢道：『如來吩咐我兩個說：「那妖魔神通廣大，如失了金丹砂，就教孫悟空上離恨天兜率宮太上老君處尋他的踪跡，庶幾可一鼓而擒也。」』行者聞言道：『可恨！可恨！如來却也閃賺老孫！當時就該對我說了，却不免教汝等遠涉？』李天王道：『既是如來有此明示，大聖就當早起。』

好行者，說聲去，就縱一道筋斗雲，直入南天門裏。時有四大元帥，擎拳拱手道：『擒怪事如何？』行者且行且答道：『未哩！未哩！如今有處尋根去也。』四將不敢留阻，讓他進了天門。不上靈霄殿，不入斗牛宮，徑至三十三天之外離恨天兜率宮前，見兩仙童侍立，他也不通姓名，一直徑走，慌得兩童扯住道：『你是何人？待往何處去？』行者才說：『我是齊天大聖，欲尋李老君哩。』仙童道：『你怎這樣粗魯？且住下，讓我們通報。』行者那容分說，喝了一聲，往裏徑走。忽見老君自內而出，撞個滿懷。行者躬身唱個喏道：『老官，一向少看。』老君笑道：『這猴兒不去取經，却來我處何幹？』行者道：『取經取經，晝夜無停，有些阻礙，到此行行。』老君道：『西天路阻，與我何幹？』行者道：『西天西天，你且休言，尋着踪跡，與你纏纏。』老君道：『我這裏乃是無上仙宮，有甚踪跡可尋？』

行者入裏，眼不轉睛，東張西看。走過幾層廊宇，忽見那牛欄邊一個童兒盹睡，青牛不在欄中。行者道：『老官，走了牛也！走了牛也！』老君大驚道：『這孽畜幾時走了？』正嚷間，那童兒方醒，跪于當面道：『爺爺，弟子睡着，不知是幾時走的。』老君罵道：『你這廝如何盹睡？』童兒叩頭道：『弟子在丹房裏拾得一粒丹，當時吃了，就在此睡着。』老君道：『想是前日煉的「七返火丹」，吊了一粒，被這廝拾吃了。那丹吃一粒，該睡七日哩。那孽畜因你睡着，無人看管，遂乘機走下界去，今亦是七日矣。』即查可曾偷甚寶貝。行者道：『無甚寶貝，祇見他有一個圈子，甚是利害。』

老君急查看時，諸般俱在，止不見了『金剛琢』。老君道：『是這孽畜偷了我「金剛琢」去了！』行者道：『原來是這件寶貝！當時打着老孫的是他！如今在下界張狂，不知套了我等多少物件！』老君道：『這孽畜在甚地方？』行者道：『現在金兜山金兜洞。他捉了我唐僧進去，搶了我金箍棒。請天兵相助，又搶了太子的神兵。及請火德星君，又搶了他的火具。惟水伯雖不能淹死他，倒還不曾搶他物件。至請如來着羅漢下砂，又將金丹砂搶去。似你這老官，縱放怪物，搶奪傷人，該當何罪？』老君道：『我那「金剛琢」，乃是我過函關化胡之器，自幼煉成之寶。憑你甚麽兵器、水火，俱莫能近他。——若偷去我的「芭蕉扇兒」，連我也不能奈他何矣。』

大聖才歡歡喜喜，隨着老君。老君執了芭蕉扇，駕着祥雲同行，出了仙宮。南天門外，低下雲頭，徑至金兜山界。見了十八尊羅漢、雷公、水伯、火德、李天王父子，備言前事一遍。老君道：『孫悟空還去誘他出來，我好收他。』這行者跳下峰頭，又高聲罵道：『腯潑孽畜！趁早出來受死！』那小妖又去報知。老魔道：『這賊猴又不知請誰來也。』急綽槍帶寶，迎出門來。行者罵道：『你這潑魔，今番坐定是死了！不要走！吃吾一掌！』急縱身跳個滿懷，劈臉打了一個耳括子，回頭就跑。那魔輪槍就趕，祇聽得高峰上叫道：『那牛兒還不歸家，更待何日？』那魔抬頭，

看見是太上老君，就唬得心驚膽戰道：「這賊猴真個是個地裏鬼！却怎麽就訪得我的主公來也？」

老君念個咒語，將扇子搧了一下，那怪將圈子丟來，被老君一把接住；又一搧，那怪物力軟筋麻，現了本相，原來是一隻青牛。老君將「金鋼琢」吹口仙氣，穿了那怪的鼻子，解下勒袍帶，繫于琢上，牽在手中。至今留下個拴牛鼻的拘兒，又名「賓郎」，職此之謂。老君辭了衆神，跨上青牛背上，駕彩雲，徑歸兜率院；縛妖怪，高昇離恨天。

孫大聖才同天王等衆打入洞裏，把那百十個小妖盡皆打死。各取兵器，謝了天王父子回天，雷公入府，火德歸宮，水伯回河，羅漢向西；然後才解放唐僧、八戒、沙僧，拿了鐵棒。他三人又謝了行者，收拾馬匹行裝，師徒們離洞，找大路方走。

正走間，衹聽得路旁叫：「唐聖僧，吃了齋飯去。」那長老心驚。

不知是甚麽人叫喚，且聽下回分解。

總批：

人人有個主人公，若能常常照管，决不到弄圈套時節矣。

第五十三回　禪主吞餐懷鬼孕　黄婆運水解邪胎

德行要修八百，陰功須積三千。均平物我與親冤，始合西天本願。魔兕刀兵不怯，空勞水火無愆。老君降伏却朝天，笑把青牛牽轉。

話説那大路旁叫喚者誰？乃金峴山山神、土地，捧着紫金鉢盂叫道：「聖僧啊，這鉢盂飯是孫大聖向好處化來的。因你等不聽良言，誤入妖魔之手，致令大聖勞苦萬端，今日方救得出。且來吃了飯，再去走路。莫孤負孫大聖一片恭孝之心也。」三藏道：「徒弟，萬分虧你！言謝不盡！早知不出圈痕，那有此殺身之害。」行者道：「不瞞師父説。衹因你不信我的圈子，却教你受別人的圈子。多少苦楚，可嘆！可嘆！」八戒道：「怎麽又有個圈子？」行者道：「都是你這孽嘴孽舌的夯貨，弄師父遭此一場大難！着老孫翻天覆地，請天兵水火與佛祖丹砂，盡被他使一個白森森的圈子套去。如來暗示了羅漢，對老孫説出那妖的根原，才請老君來收伏，却是個青牛作怪。」三藏聞言，感激不盡道：「賢徒，今番經此，下次定然聽你吩咐。」遂此四人分吃那飯。那飯熱氣騰騰的。行者道：「這飯多時了，却怎麽還熱？」土地跪下道：「是小神知大聖功完，才自熱來伺候。」須臾飯畢。收拾了鉢盂，辭了土地、山神。

那師父才攀鞍上馬，過了高山。正是：

滌慮洗心皈正覺，餐風宿水向西行。

行够多時，又值早春天氣。聽了些：

紫燕呢喃，黄鸝睍睆。紫燕呢喃香嘴困，黄鸝睍睆巧音頻。滿地落紅如佈錦，遍山發翠似堆茵。嶺上青梅結豆，崖前古柏留雲。野潤煙光淡，沙暄日色曛。幾處園林花放蕊，陽回大地柳芽新。

正行處，忽遇一道小河，澄澄清水，湛湛寒波。唐長老勒過馬觀看，遠見河那邊有柳陰垂碧，微露着茅屋幾椽。

行者遥指那廂道：『那裏人家，一定是擺渡的。』三藏道：『我見那廂也似這般，却不見船衹，未敢開言。』八戒旋下行李，厲聲高叫道：『擺渡的！撑船過來！』連叫幾遍，衹見那柳陰裏面，咿咿啞啞的，撑出一隻船兒。不多時，相近這岸。師徒們仔細看了那船兒，真個是：

短棹分波，輕橈泛浪。艙堂油漆彩，艎板滿平倉。船頭上鐵纜盤窩，船後邊舵樓明亮。雖然是一葦之航，也不亞泛湖浮海。縱無錦纜牙檣，實有松椿桂楫。固不如萬里神舟，真可渡一河之隔。往來衹在兩崖邊，出入不離古渡口。

那船兒須臾頂岸。有梢子叫云：『過河的，這裏去。』三藏縱馬近前看處，那梢子怎生模樣：

頭裹錦絨帕，足踏皂絲鞋。身穿百納綿襠襖，腰束千針裙佈衫。手腕皮粗筋力硬，眼花眉皺面容衰。聲音嬌細如鶯囀，近觀乃是老裙釵。

行者近于船邊道：『你是擺渡的？』那婦人道：『是。』行者道：『艄公如何不在，却着艄婆撑船？』婦人微笑不答，用手拖上跳板。沙和尚將行李挑上去，行者扶着師父上跳，然後順過船來，八戒牽上白馬，收了跳板。那婦人撑開船，摇動槳，頃刻間過了河。身登西岸，長老教沙僧解開包，取幾文錢鈔與他。婦人更不争多寡，將纜拴在傍水的椿上，笑嘻嘻徑入莊屋裏去了。

三藏見那水清，一時口渴，便着八戒：『取鉢盂，舀些水來我吃。』那呆子道：『我也正要些兒吃哩。』即取鉢盂，舀了一鉢，遞與師父。師父吃了有一少半，還剩了多半，呆子接來，一氣飲乾，却伏侍三藏上馬。

師徒們找路西行，不上半個時辰，那長老在馬上呻吟道：『腹痛！』八戒隨後道：『我也有些腹痛。』沙僧道：『想是吃冷水了？』説未畢，師父聲喚道：『疼的緊！』八戒也道：『疼得緊！』他兩個疼痛難禁，漸漸肚子大了。用手摸時，似有血團肉塊，不住的骨冗骨冗亂動。三藏正不穩便，忽然見那路旁有一村舍，樹梢頭挑着兩個草把。行者道：『師父，好了。那廂是個賣酒的人家。我們且去化他些熱湯與你吃，就問可有賣藥的，討貼藥，與你治治腹痛。』

三藏聞言甚喜，却打白馬。不一時，到了村舍門口下馬。但衹見那門兒外有一個老婆婆，端坐在草墩上績麻。行者上前，打個問訊道：『婆婆，貧僧是東土大唐來的，我師父乃唐朝御弟。因爲過河吃了河水，覺肚腹疼痛。』那婆婆喜哈哈的道：『你們在那邊河裏吃水來？』行者道：『是，在此東邊清水河吃的。』那婆婆欣欣的笑道：『好要子！好要子！你都進來，我與你説。』

行者即攙唐僧，沙僧即扶八戒。兩人聲聲喚喚，腆着肚子，一個個衹疼得面黄眉皺，入草捨坐下。行者衹叫：『婆婆，是必燒些熱湯與我師父。我們謝你。』那婆婆且不燒湯，笑唏唏跑走後邊，叫道：『你們來看！你們來看！』那裏面，蹼踋蹼踏的，又走出兩三個半老不老的婦人，都來望着唐僧灑笑。行者大怒，喝了一聲，把牙一嗟，唬得那一家子跌跌蹡蹡，往後就走。行者上前，扯住那老婆子道：『快早燒湯，我饒了你！』那婆子戰兢兢的道：『爺爺呀，我燒湯也不濟事，也治不得他兩個肚疼。你放了我，等我説。』行者放了他，他説：『我這裏乃是西梁女國。我們這一國盡是女人，更無男子，故此見了你們歡喜。你師父吃的那水不好了。那條河，唤做子母河。我那國王城外，還有一座迎陽館驛，驛門外有一個「照胎泉」。我這裏人，但得年登二十歲以上，方敢去吃那河裏水。吃水之後，便覺腹痛有胎。至三日之後，到那迎陽館照胎水邊照去。若照得有了雙影，便就降生孩兒。你師吃了子母河水，以此成了胎氣，也不日要生孩子。燒湯怎麽治得？』

三藏聞言，大驚失色道：『徒弟啊！似此怎了？』八戒扭腰撒胯的哼道：『爺爺呀！要生孩子，我們却是男身！那裏開得産門？如何脱得出來？』行者笑道：『古人云：「瓜熟自落。」若到那個時節，一定從脅下裂個窟窿，鑽出來也。』八戒見説，戰兢兢，忍不得疼痛道：『罷了，罷了！死了，死了！』沙僧笑道：『二哥，莫扭，莫扭！

只怕錯了養兒腸，弄做個胎前病。」那呆子越發慌了，眼中噙泪，扯着行者道：「哥哥！你問這婆婆，看那裏有手輕的穩婆，預先尋下幾個，這半會一陣陣的動盪得緊，想是摧陣疼。快了！快了！」沙僧又笑道：「二哥，既知摧陣疼，不要扭動，祇恐擠破漿泡耳。」

三藏哼着道：「婆婆啊，你這裏可有醫家？教我徒弟去買一貼墮胎藥吃了，打下胎來罷。」那婆子道：「就有藥也不濟事。只是我們這正南街上有一座解陽山，山中有一個破兒洞，洞裏有一眼「落胎泉」。須得那泉裏水吃一口，方纔解了胎氣。却如今取不得水了，向年來了一個道人，稱名如意真仙，把那破兒洞改作聚仙庵，護住落胎泉水，不肯善賜與人；但欲求水者，須要花紅表禮，羊酒果盤，志誠奉獻，祇拜求得他一碗兒水哩。你們這行脚僧，怎麽得許多錢財買辦？但祇可挨命，待時而生産罷了。」行者聞得此言，滿心歡喜道：「婆婆，你這裏到那解陽山有幾多路程？」婆婆道：「有三十里。」行者道：「好了！好了！師父放心，待老孫取些水來你吃。」

好大聖，吩咐沙僧道：「你好仔細看着師父。若這家子無禮，侵哄師父，你拿出舊時手段來，裝𩰪虎唬他，等我取水去。」沙僧依命。祇見那婆子端出一個大瓦鉢來，遞與行者道：「拿這鉢頭兒去，是必多取些來，與我們留着用急。」行者真個接了瓦鉢，出草舍，縱雲而去。那婆子才望空禮拜道：「爺爺呀！這和尚會駕雲！」才進去叫出那幾個婦人來，對唐僧磕頭禮拜，都稱爲羅漢菩薩。一壁厢燒湯辦飯，供奉唐僧不題。

却説那孫大聖筋斗雲起，少頃間見一座山頭，阻住雲角，即按雲光，睁睛看處，好山！但見那：

幽花擺錦，野草鋪藍。澗水相連落，溪雲一樣閑。重重谷壑藤蘿密，遠遠峰巒樹木繁。鳥啼雁過，鹿飲猿攀。翠岱如屏幛，青崖似髻鬟。塵埃滾滾真難到，泉石涓涓不厭看。每見仙童采藥去，常逢樵子負薪還。果然不亞天臺景，勝似三峰西華山！

這大聖正然觀看那山不盡，又祇見背陰處，有一所莊院，忽聞得犬吠之聲。大聖下山，徑至莊所，却也好個去處。

看那：

小橋通活水，茅捨倚青山。村犬汪籬落，幽人自往還。

不時來至門首，見一個老道人，盤坐在綠茵之上。大聖放下瓦鉢，近前道問訊。那道人欠身還禮道：「那方來者？至小庵有何勾當？」行者道：「貧僧乃東土大唐欽差西天取經者。因我師父誤飲了子母河之水，如今腹疼腫脹難禁。問及土人，説是結成胎氣，無方可治。訪得解陽山破兒洞有「落胎泉」可以消得胎氣，故此特來拜見如意真仙，求些泉水，搭救師父。累煩老道指引指引。」那道人笑道：「此間就是破兒洞，今改爲聚仙庵了。我却不是別人，即是如意真仙老爺的大徒弟。你叫做甚麽名字？待我好與你通報。」行者道：「我是唐三藏法師的大徒弟，賤名孫悟空。」那道人問曰：「你的花紅、酒禮，都在那裏？」行者道：「我是個過路的挂搭僧，不曾辦得來。」道人笑道：「你好痴呀！我老師父護住山泉，并不曾白送與人。你回去辦將禮來，我好通報。不然請回。莫想！莫想！」行者道：「人情大似聖旨。你去説我老孫的名字，他必然做個人情，或者連井都送我也。」

那道人聞此言，只得進去通報。却見那真仙撫琴，祇待他琴終，方纔説道：「師父，外面有個和尚，口稱是唐三藏大徒弟孫悟空，欲求落胎泉水，救他師父。」那真仙不聽説便罷；一聽得説個悟空名字，却就怒從心上起，惡向膽邊生；急起身，下了琴床，脫了素服，換上道衣，取一把如意鈎子，跳出庵門。叫道：「孫悟空何在？」行者轉頭，觀見那真仙打扮：

頭戴星冠飛彩艷，身穿金縷法衣紅。足下雲鞋堆錦綉，腰間寶帶繞玲瓏。一雙納錦凌波襪，半露裙襴閃綉絨。手拿如意金鈎子，鐏利桿長若蟒龍。鳳眼光明眉菂竪，鋼牙尖利口翻紅。額下髯飄如烈火，鬢邊赤髮短蓬松。形容惡似温元帥，爭奈衣冠不一同。

行者見了，合掌作禮道：「貧僧便是孫悟空。」那先生笑道：「你真個是孫悟空，却是假名託姓者？」行者道：

『你看先生説話。常言道：「君子行不更名，坐不改姓。」我便是悟空。豈有假託之理？』先生道：『你可認得我麽？』行者道：『我因歸正釋門，秉誠僧教，這一向登山涉水，把我那幼時的朋友也都疏失，未及拜訪，少識尊顔。適間問道子母河西鄉人家，言及先生乃如意真仙，故此知之。』那先生道：『你走你的路，我修我的真，你來訪我怎的？』行者道：『因我師父誤飲了子母河水，腹疼成胎，特來仙府，拜求一碗落胎泉水，救解師難也。』

那先生怒目道：『你師父可是唐三藏麽？』行者道：『正是，正是。』先生咬牙恨道：『你們可曾會着一個聖嬰大王麽？』行者道：『他是號山枯松澗火雲洞紅孩兒妖怪的綽號。真仙問他怎的？』先生道：『是我之舍侄。我乃牛魔王的兄弟。前者家兄處有信來報我，稱説唐三藏的大徒弟孫悟空憊懶，將他害了。——我這裏正没處尋你報仇，你倒來尋我，還要甚麽水哩！』行者陪笑道：『先生差了。你令兄也曾與我做朋友，幼年間也曾拜七弟兄。但只是不知先生尊府，有失拜望。如今令侄得了好處，現隨着觀音菩薩，做了善財童子，我等尚且不如，怎麽反怪我也？』

先生喝道：『這潑猢猻！還弄巧舌！我舍侄還是自在爲王好，還是與人爲奴好？不得無禮！吃我這一鈎！』大聖使鐵棒架住道：『先生莫説打的話，且與些泉水去也。』那先生罵道：『潑猢猻！不知死活！如若三合敵得我，與你水去；敵不過，祇把你剁爲肉醬，方與我侄子報仇。』大聖罵道：『我把你不識起倒的孽障！既要打，走上來看棍！』那先生如意鈎劈手相還。二人在聚仙庵好殺：

聖僧誤食成胎水，行者來尋如意仙。那曉真仙原是怪，倚强護住落胎泉。及至相逢講仇隙，爭持决不遂如然。
言來語去成僝僽，意惡情兇要報冤。這一個因師傷命來求水，那一個爲侄亡身不與泉。如意鈎强如蝎毒，金箍棒
狠似龍巔。當胸亂刺施威猛，着脚斜鈎展妙玄。陰手棍丢傷處重，過肩鈎起近頭鞭。鎖腰一棍鷹持雀，壓頂三鈎
螂捕蟬。往往來來爭勝敗，返返複複兩回還。鈎攣棒打無前後，不見輸贏在那邊。

那先生與大聖戰經十數合，敵不得大聖。這大聖越加猛烈，一條棒似滚滚流星，着頭亂打。先生敗了筋力，倒拖着如意鈎，往山上走了。

大聖不去趕他，却來庵内尋水。那個道人早把庵門關了。大聖拿着瓦鉢，趕至門前，盡力氣一脚，踢破庵門，闖將進去。見那道人伏在井欄上，被大聖喝了一聲，舉棒要打，那道人往後跑了。却纔尋出吊桶來，正要打水，又被那先生趕到前邊，使如意鈎子把大聖鈎着脚一跌，跌了個嘴啃地。大聖爬起來，使鐵棒就打。他却閃在旁邊，執着鈎子道：『看你可取得我的水去！』大聖罵道：『你上來！你上來！我把你這個孽障，直打殺你！』那先生也不上前拒敵，只是禁住了，不許大聖打水。大聖見他不動，却使左手輪着鐵棒，右手使吊桶，將索子才突魯魯的放下。他又來使鈎。大聖一隻手撑持不得，又被他一鈎鈎着脚，扯了個蹦踵，連井索通跌下井去了。大聖道：『這厮却是無禮！』爬起來，雙手輪棒，没頭没臉的打將上去。那先生依然走了，不敢迎敵。大聖又要去取水，奈何没有吊桶，又恐怕來鈎扯，心中暗暗想道：『且去叫個幫手來！』

好大聖，撥轉雲頭，徑至村舍門首，叫一聲：『沙和尚。』那裏邊三藏忍痛呻吟，猪八戒哼聲不絶。聽得叫喚，二人歡喜道：『沙僧呵，悟空來也。』沙僧連忙出門接着道：『大哥，取水來了？』大聖進門，對唐僧備言前事。三藏滴泪道：『徒弟呵，似此怎了？』大聖道：『我來叫沙兄弟與我同去。到那庵邊，等老孫和那厮敵鬥，教沙僧乘便取水來救你。』三藏道：『你兩個没病的都去了，丢下我兩個有病的，教誰伏侍？』那個老婆婆在旁道：『老羅漢祇管放心。不須要你徒弟，我家自然看顧伏侍你。你們早間到時，我等實有愛憐之意；却纔見這位菩薩雲來霧去，方知你是羅漢菩薩。我家决不敢復害你。』

行者咄的一聲道：『汝等女流之輩，敢傷那個？』老婆子笑道：『爺爺呀，還是你們有造化，來到我家！若到第二家，你們也不得囫圇了！』八戒哼哼的道：『不得囫圇，是怎麽的？』婆婆道：『我一家兒四五口，都是

有幾歲年紀的，把那風月事盡皆休了，故此不肯傷你。若還到第二家，老小衆大，那年小之人，那個肯放過你去！就要與你交合。假如不從，就要害你性命，把你們身上肉，都割了去做香袋兒哩。」八戒道：「若這等，我決無傷。他們都是香噴噴的，好做香袋；我是個臊豬，就割了肉去，也是臊的，故此可以無傷。」行者笑道：「你不要說嘴，省些力氣，好生産也。」那婆婆道：「不必遲疑，快求水去。」行者道：「你家可有吊桶？借個使使。」那婆子即往後邊取出一個吊桶，又窩了一條索子，遞與沙僧。沙僧道：「帶兩條索子去。恐一時井深要用。」

沙僧接了桶索，即隨大聖出了村舍，一同駕雲而去。那消半個時辰，却到解陽山界。按下雲頭，徑至庵外。大聖吩咐沙僧道：「你將桶索拿了，且在一邊躲着，等老孫出頭索戰。你待我兩人交戰正濃之時，你乘機進去，取水就走。」沙僧謹依言命。

孫大聖掣了鐵棒，近門高叫：「開門！開門！」那守門的看見，急入裏通報道：「師父，那孫悟空又來了也。」那先生心中大怒道：「這潑猴老大無狀！一向聞他有些手段，果然今日方知。他那條棒真是難敵。」道人道：「師父，他的手段雖高，你亦不亞與他，正是個對手。」先生道：「前面兩回，被他贏了。」道人道：「前兩回雖贏，不過是一猛之性；後面兩次打水之時，被師父鈎他兩跌，却不是相比肩也？先既無奈而去，今又復來，必然是三藏胎成身重，埋怨得緊，不得已而來也。決有慢他師之心。管取我師決勝無疑。」

真仙聞言，喜孜孜滿懷春意，笑盈盈一陣威風，挺如意鈎子，走出門來喝道：「潑猢猻！你又來作甚？」大聖道：「我來只是取水。」真仙道：「泉水乃吾家之井，憑是帝王宰相，也須表禮羊酒來求，方纔僅與些須；況你又是我的仇人，擅敢白手來取？」大聖道：「真個不與？」真仙道：「不與，不與！」大聖罵道：「潑孽障！既不與水，看棍！」丢一個架手，搶個滿懷，不容說，着頭便打。那真仙側身躲過，使鈎子急架相還。這一場比前更勝。好殺：

金箍棒，如意鈎，二人奮怒各懷仇。飛砂走石乾坤暗，播土揚塵日月愁。大聖救師來取水，妖仙爲侄不容求。

兩家齊努力，一處賭安休。咬牙爭勝負，切齒定剛柔。添機見，越抖擻，噴雲曖霧鬼神愁。樸樸兵兵棒響，喊聲哮吼振山丘。狂風滾滾催林木，殺氣紛紛過斗牛。大聖愈爭愈喜悅，真仙越打越綢繆。有心有意相爭戰，不定存亡不罷休。

他兩個在庵門外交手，跳跳舞舞的，鬥到山坡之下，恨苦相持不題。

却說那沙和尚提着吊桶，闖進門去，衹見那道人在井邊擋住道：「你是甚人，敢來取水！」沙僧放下吊桶，取出降妖寶杖，不對話，着頭便打。那道人躲閃不及，把左臂膊打折，道人倒在地下掙命。沙僧罵道：「我要打殺你這孽畜，怎奈你是個人身！我還憐你，饒你去罷！讓我打水！」那道人叫天叫地的，爬到後面去了。沙僧却纔將吊桶向井中滿滿的打了一吊桶水，走出庵門，駕起雲霧，望着行者喊道：「大哥，我已取了水去也！饒他罷！饒他罷！」

大聖聽得，方纔使鐵棒支住鈎子道：「你聽老孫說，我本待斬盡殺絕，爭奈你不曾犯法；二來看你令兄牛魔王的情上。先頭來，我被鈎了兩下，未得水去。才然來，我是個調虎離山計，哄你出來爭戰，却着我師弟取水去了。老孫若肯拿出本事來打你，莫說你是一個甚麼如意真仙，就是再有幾個，也打死了。正是打死不如放生，且饒你教你活幾年耳。已後再有取水者，切不可勒掯他。」那妖仙不識好歹，演一演，就來鈎脚；被大聖閃過鈎頭，趕上前，喝聲「休走！」那妖仙措手不及，推了一個躘踵，掙扎不起。大聖奪過如意鈎來，折爲兩段；總拿着又一抉，抉作四段，擲之于地道：「潑孽畜！再敢無禮麼？」那妖仙戰戰兢兢，忍辱無言。這大聖笑呵呵，駕雲而起。有詩爲證。詩曰：

真鉛若煉須真水，真水調和真汞乾。真汞真鉛無母氣，靈砂靈藥是仙丹。嬰兒枉結成胎象，土母施功不費難。推倒旁門宗正教，心君得意笑容還。

大聖縱着祥光，趕上沙僧。得了真水，喜喜歡歡，回于本處。按下雲頭，徑來村舍。衹見猪八戒腆着肚子，倚在門枋上哼哩。行者悄悄上前道：「呆子，幾時占房的？」呆子慌了道：「哥哥莫取笑。可曾有水來麼？」行者還要耍他，沙僧隨後就到，笑道：「水來了！水來了！」三藏忍痛欠身道：「徒弟呀，累了你們也！」那婆婆却也歡喜，幾口兒都出禮拜道：「菩薩呀，却是難得！難得！」即忙取個花磁盞子，舀了半盞兒，遞與三藏道：「老師父，細細的吃，衹消一口，就解了胎氣。」八戒道：「我不用盞子，連吊桶等我喝了罷。」那婆子道：「老爺爺，唬殺人罷了！若吃了這吊桶水，好道連腸子肚子都化盡了！」嚇得呆子不敢胡爲，也衹吃了半盞。

那裏有頓飯之時，他兩個腹中絞痛，衹聽轂轆轂轆三五陣腸鳴。腸鳴之後，那呆子忍不住，大小便齊流。唐僧也忍不住要往靜處解手。行者道：「師父呵，切莫出風地裏去。怕人子，一時冒了風，弄做個産後之疾。」那婆婆即取兩個净桶來，教他兩個方便。須臾間，各行了幾遍，才覺住了疼痛，漸漸的銷了腫脹，化了那血團肉塊。那婆婆家又煎些白米粥與他補虛。八戒道：「婆婆，我的身子實落，不用補虛。且燒些湯水與我洗個澡，却好吃粥。」沙僧道：「哥哥，洗不得澡。坐月子的人弄了水漿致病。」八戒道：「我又不曾大生，左右只是個小産，怕他怎的？洗洗兒乾净。」真個那婆子燒些湯與他兩個净了手脚。唐僧才吃兩盞兒粥湯，八戒就吃了十數碗，還衹要添。行者笑道：「夯貨！少吃些！莫弄做個『沙包肚』，不像模樣。」八戒道：「没事！没事！我又不是母猪，怕他做甚？」那家子真個又去收拾煮飯。

老婆婆對唐僧道：「老師父，把這水賜了我罷。」行者道：「呆子，不吃水了？」八戒道：「我的肚腹也不疼了，胎氣想是已行散了。灑然無事，又吃水何爲？」行者道：「既是他兩個都好了，將水送你家罷。」那婆婆謝了行者，將餘剩之水，裝于瓦罐之中，埋在後邊地下，對衆老小道：「這罐水，够我的棺材本也！」衆老小無不歡喜。整頓齋飯，調開桌凳，唐僧們吃了齋。消消停停，將息了一宿。

次日天明，師徒們謝了婆婆家，出離村舍。唐三藏攀鞍上馬，沙和尚挑着行囊，孫大聖前邊引路，猪八戒攏了繮繩。這裏才是：

洗净口孽身乾净，銷化凡胎體自然。

畢竟不知到國界中還有甚麽理會，且聽下回分解。

總批：

此回想頭奇甚幻甚，真是文人之筆，九天九地無所不至。

第五十四回　法性西來逢女國　心猿定計脫煙花

話説三藏師徒別了村舍人家，依路西進，不上三四十里，早到西梁國界。唐僧在馬上指道：『悟空，前面城池相近，市井上人語喧嘩，想是西梁女國。汝等須要仔細，謹慎規矩，切休放蕩情懷，紊亂法門教旨。』三人聞言，謹遵嚴命。言未盡，却至東關厢街口。那裏人都是長裙短襖，粉面油頭。不分老少，盡是婦女。正在兩街上做買做賣，忽見他四衆來時，一齊都鼓掌呵呵，整容歡笑道：『人種來了！人種來了！』慌得那三藏勒馬難行。須臾間就塞滿街道，惟聞笑語。八戒口裏亂嚷道：『我是個銷猪！我是個銷猪！』行者道：『呆子，莫胡談。拿出舊嘴臉便是。』八戒真個把頭摇上兩摇，竪起一雙蒲扇耳，扭動蓮蓬吊搭唇，發一聲喊，把那些婦女們唬得跌跌爬爬。有詩爲證。詩曰：

聖僧拜佛到西梁，國内衠陰世少陽。農士工商皆女輩，漁樵耕牧盡紅妝。嬌娥滿路呼人種，幼婦盈街接粉郎。不是悟能施醜相，煙花圍困苦難當！

遂此衆皆恐懼，不敢上前。一個個都捻手矬腰，摇頭咬指，戰戰兢兢，排塞街傍路下，都看唐僧。孫大聖却也弄出醜相開路，沙僧也裝嚳虎維持。八戒采着馬，掬着嘴，擺着耳朵。一行前進，又見那市井上房屋齊整，鋪面軒昂，一般有賣鹽賣米，酒肆茶房，鼓角樓臺通貨殖，旗亭候館挂簾櫳。

師徒們轉灣抹角，忽見有一女官侍立街下，高聲叫道：『遠來的使客，不可擅入城門。請投館驛注名上簿，待下官執名奏駕，驗引放行。』三藏聞言下馬，觀看那衙門上有一匾，上書『迎陽驛』三字。長老道：『悟空，那村舍人家傳言是實，果有迎陽之驛。』沙僧笑道：『二哥，你却去「照胎泉」邊照照，看可有雙影。』八戒道：『莫弄我！我自吃了那盞兒落胎泉水，已此打下胎來了，還照他怎的？』三藏回頭吩咐道：『悟能，謹言！謹言！』遂上前與那女官作禮。

女官引路，請他們都進驛內，正廳坐下，即喚看茶。又見那手下人盡是三綹梳頭，兩截穿衣之類。你看他拿茶的也笑。少頃，茶罷。女官欠身問曰：『使客何來？』行者道：『我等乃東土大唐王駕下欽差上西天拜佛求經者。我師父便是唐王御弟，號曰唐三藏。我乃他大徒弟孫悟空。這兩個是我師弟：猪悟能、沙悟浄。一行連馬五口。隨身有通關文牒，乞爲照驗放行。』那女官執筆寫罷，下來叩頭道：『老爺恕罪。下官乃迎陽驛驛丞，實不知上邦老爺，知當遠接。』拜畢起身，即令管事的安排飲饌。道：『爺爺們寬坐一時，待下官進城啓奏我王，倒換關文，打發領給，送老爺們西進。』三藏欣然而坐不題。

且説那驛丞整了衣冠，徑入城中五鳳樓前，對黄門官道：『我是迎陽館驛丞，有事見駕。』黄門即時啓奏。降旨傳宣至殿，問曰：『驛丞有何事來奏？』驛丞道：『微臣在驛，接得東土大唐王御弟唐三藏。有三個徒弟，名喚孫悟空、猪悟能、沙悟浄，連馬五口，欲上西天拜佛取經。特來啓奏主公，可許他倒換關文放行？』女王聞奏，滿心歡喜，對衆文武道：『寡人夜來夢見金屏生彩艷，玉鏡展光明，乃是今日之喜兆也。』衆女官擁拜丹墀道：『主公，怎見得是今日之喜兆？』女王道：『東土男人，乃唐朝御弟。我國中自混沌開闢之時，累代帝王，更不曾見個男人至此。幸今唐王御弟下降，想是天賜來的。寡人以一國之富，願招御弟爲王，我願爲後，與他陰陽配合，生子生孫，永傳帝業，却不是今日之喜兆也？』衆女官拜舞稱揚，無不歡悦。

驛丞又奏道：『主公之論，乃萬代傳家之好；但只是御弟三徒兇惡，不成相貌。』女王道：『卿見御弟怎生模樣？他徒弟怎生凶醜？』驛丞道：『御弟相貌堂堂，丰姿英俊，誠是天朝上國之男兒，南贍中華之人物。那三徒却是形容獰惡，相貌如精。』女王道：『既如此，把他徒弟與他領給，倒換關文，打發他往西天，衹留下御弟，有何不可？』衆官拜奏道：『主公之言極當，臣等欽此欽遵。但只是匹配之事，無媒不可。自古道：「姻緣配合憑紅葉，月老夫妻繫赤繩。」』女王道：『依卿所奏，就着當駕太師作媒，迎陽驛丞主婚，先去驛中與御弟求親。待他許可，寡人却擺駕出城迎接。』那太師、驛丞，領旨出朝。

却説三藏師徒們在驛廳上正享齋飯，衹見外面人報：『當駕太師與我們本官老姆來了。』三藏道：『太師來却是何意？』八戒道：『怕是女王請我們也。』行者道：『不是相請，就是説親。』三藏道：『悟空，假如不放，强逼成親，却怎麽是好？』行者道：『師父衹管允他，老孫自有處治。』説不了，二女官早至，對長老下拜。長老一一還禮道：『貧僧出家人，有何德能，敢勞大人下拜？』那太師見長老相貌軒昂，心中暗喜道：『我國中實有造化，這個男子，却也做得我王之夫。』二官拜畢起來，侍立左右道：『御弟爺爺，萬千之喜了！』三藏道：『我出家人，喜從何來？』太師躬身道：『此處乃西梁女國，國中自來没個男子。今幸御弟爺爺降臨，臣奉我王旨意，特來求親。』三藏道：『善哉！善哉！我貧僧隻身來到貴地，又無兒女相隨，止有頑徒三個，不知大人求的是那個親事？』驛丞道：『下官才進朝啓奏，我王十分歡喜道，夜來得一吉夢，夢見金屏生彩艷，玉鏡展光明。知御弟乃中華上國男兒，我王願以一國之富，招贅御弟爺爺爲夫，坐南面稱孤，我王願爲帝后。傳旨着太師作媒，下官主婚，故此特來求這親事也。』三藏聞言，低頭不語。太師道：『大丈夫遇時，不可錯過。似此招贅之事，天下雖有；託國之富，世上實稀。請御弟速允，庶好回奏。』長老越加痴痖。

八戒在旁掬着碓挺嘴，叫道：『太師，你去上復國王：我師父乃久修得道的羅漢，决不愛你托國之富，也不愛你傾國之容；快些兒倒換關文，打發他往西去，留我在此招贅，如何？』太師聞説，膽戰心驚，不敢回話。驛丞道：『你雖是個男身，但衹形容醜陋，不中我王之意。』八戒笑道：『你甚不通變。常言道：「粗柳簸箕細柳斗，世上誰見男兒醜？」』行者道：『呆子，勿得胡談，任師父尊意。可行則行，可止則止。莫要擔閣了媒妁工夫。』

三藏道：『悟空，憑你怎麽説好。』行者道：『依老孫説，你在這裏也好。自古道：「千里姻緣似綫牽」哩。那裏再有這般相應處？』三藏道：『徒弟，我們在這裏貪圖富貴，誰却去西天取經？那不望壞了我大唐之帝主也？』

太師道：「御弟在上，微臣不敢隱言。我王旨意，原祇教求御弟爲親，教你三位徒弟赴了會親筵宴，發付領給，倒換關文，往西天取經去哩。」行者道：「太師說得有理。我等不必作難，情願留下師父，與你主爲夫。快換關文，打發我們西去。待取經回來，好到此拜爺娘，討盤纏，回大唐也。」那太師與驛丞對行者作禮道：「多謝老師玉成之恩！」八戒道：「太師，切莫要「口裏擺菜碟兒」。既然我們許諾，且教你主先安排一席，與我們吃鐘肯酒，如何？」太師道：「有，有，有；就教擺設筵宴來也。」那驛丞與太師，歡天喜地，回奏女主不題。

却說唐長老一把扯住行者，罵道：「你這猴頭，弄殺我也！怎麼說出這般話來，教我在此招婚，你們西天拜佛，我就死也不敢如此！」行者道：「師父放心。老孫豈不知你性情，但只是到此地，遇此人，不得不將計就計。」三藏道：「怎麼叫做將計就計？」行者道：「你若使住法兒不允他，他便不肯倒換關文，不放我們走路。倘或意惡心毒，喝令多人，割了你肉，做甚麼香袋啊，我等豈有善報？一定要使出降魔蕩怪的神通。你知我們的手脚又重，器械又兇，但動動手兒，這一國的人，盡打殺了。他雖然阻當我等，却不是怪物妖精，還是一國人身；你又平素是個好善慈悲的人，在路上一靈不損；若打殺無限的平人，你心何忍！誠爲不善了也。」三藏聽說，道：「悟空，此論最善。但恐女主招我進去，要行夫婦之禮，我怎肯喪元陽，敗壞了佛家德行；走真精，墜落了本教人身。」行者道：「今日允了親事，他一定以皇帝禮，擺駕出城接你；你更不要推辭，就坐他鳳輦龍車，登寶殿，面南坐下，問女王取出御寶印信來，宣我們兄弟進朝，把通關文牒用了印，再請女王寫個手字花押，僉押了交付與我們。一壁廂教擺筵宴，就當與女王會喜，就與我們送行。待筵宴已畢，再叫排駕，祇說送我們三人出城，回來與女王配合。哄得他君臣歡悅，更無阻擋之心，亦不起毒惡之念，却待送出城外，你下了龍車鳳輦，教沙僧伺候左右，伏侍你騎上白馬，老孫却使個定身法兒，教他君臣人等皆不能動，我們順大路祇管西行。行得一晝夜，我却念個咒，解了術法，還教他君臣們蘇醒回城。一則不傷了他的性命，二來不損了你的元神。——這叫做「假親脱網」之計。豈非一舉兩全之美也？」三藏聞言，如醉方醒，似夢初覺，樂以忘憂，稱謝不盡，道：「深感賢徒高見。」四衆同心合意，正自商量不題。

却說那太師與驛丞，不等宣詔，直入朝門，白玉階前，奏道：「主公佳夢最準，魚水之歡就矣。」女王聞奏，捲珠簾，下龍床，啓櫻脣，露銀齒，笑吟吟嬌聲問曰：「賢卿見御弟，怎麼說來？」太師道：「臣等到驛，拜見御弟畢，即備言求親之事。御弟還有推託之辭，幸虧他大徒弟慨然見允，願留他師父與我王爲夫，面南稱帝，祇教先倒換關文，打發他三人西去；取得經回，却到此拜認爺娘，討盤費回大唐也。」女王笑道：「御弟再有何說？」太師奏道：「御弟不言，願配我主；只是他那二徒弟，先要吃席肯酒。」

女王聞言，即傳旨，教光禄寺排宴。一壁廂排大駕，出城迎接夫君。衆女官即欽遵王命，打掃宫殿，鋪設庭臺。一班兒擺宴的，火速安排；一班兒擺駕的，流星整備。你看那西梁國雖是婦女之邦，那鑾輿不亞中華之盛。但見：

六龍噴彩，雙鳳生祥。六龍噴彩扶車出，雙鳳生祥駕輦來。馥鬱异香藹，氤氲瑞氣開。金魚玉佩多官擁，寶髻雲鬟衆女排。鴛鴦掌扇遮鑾駕，翡翠珠簾影鳳釵。笙歌音美，弦管聲諧。一片歡情衝碧漢，無邊喜氣出靈臺。三檐羅蓋搖天宇，五色旌旗映御階。此地自來無合巹，女王今日配男才。

不多時，大駕出城，早到迎陽館驛。忽有人報三藏師徒道：「駕到了。」三藏聞言，即與三徒，整衣出廳迎駕。女王捲簾下輦道：「那一位是唐朝御弟？」太師指道：「那驛門外香案前穿襴衣者便是。」女王閃鳳目，簇蛾眉，仔細觀看，果然一表非凡。你看他：

丰姿英偉，相貌軒昂。齒白如銀砌，唇紅口四方。頂平額闊天倉滿，目秀眉清地閣長。兩耳有輪真杰士，一身不俗是才郎。好個妙齡聰俊風流子，堪配西梁窈窕娘。

女王看到那心歡意美之處，不覺淫情汲汲，愛欲恣恣，展放櫻桃小口，呼道：「大唐御弟，還不來佔鳳乘鸞也？」

三藏聞言，耳紅面赤，羞答答不敢抬頭。猪八戒在旁，掬着嘴，餳眼觀看那女王，却也褭娜。真個：

眉如翠羽，肌似羊脂。臉襯桃花瓣，鬟堆金鳳絲。秋波湛湛妖嬈態，春笋纖纖嬌媚姿。斜嚲紅綃飄彩艷，高簪珠翠顯光輝。説甚麽昭君美貌，果然是賽過西施。柳腰微展鳴金珮，蓮步輕移動玉肢。月裏嫦娥難到此，九天仙子怎如斯。宫妝巧樣非凡類，誠如王母降瑶池。

那呆子看到好處，忍不住口嘴流涎，心頭撞鹿，一時間骨軟筋麻，好便似雪獅子向火，不覺的都化去也。

衹見那女王走近前來，一把扯住三藏，俏語嬌聲，叫道：『御弟哥哥，請上龍車，和我同上金鑾寶殿，匹配夫婦去來。』這長老戰兢兢立站不住，似醉如痴。行者在側教道：『師父不必太謙，請共師娘上輦。快快倒换關文，等我們取經去罷。』長老不敢回言，把行者抹了兩抹，止不住落下泪來。行者道：『師父切莫煩惱。這般富貴，不受用還待怎麽哩？』三藏没及奈何，只得依從。揩了眼泪，强整歡容，移步近前，與女王，

同携素手，共坐龍車。那女王喜孜孜欲配夫妻，這長老憂惶惶衹思拜佛。一個要洞房花燭交鴛侣，一個要西宇靈山見世尊。女帝真情，聖僧假意。女帝真情，指望和諧同到老；聖僧假意，牢藏情意養元神。一個喜見男身，恨不得白晝并頭諧伉儷；一個怕逢女色，衹思量即時脱網上雷音。二人和會同登輦，豈料唐僧各有心！

那些文武官，見主公與長老同登鳳輦，並肩而坐，一個個眉花眼笑，撥轉儀從，復入城中。孫大聖才教沙僧挑着行李，牽着白馬，隨大駕後邊同行。猪八戒往前亂跑，先到五鳳樓前，嚷道：『好自在，好現成呀！這個弄不成！這個弄不成！吃了喜酒進親才是！』唬得些執儀從引導的女官，一個個回至駕邊道：『主公，那一個長嘴大耳的，在五鳳樓前嚷道，要喜酒吃哩。』女主聞奏，與長老倚香肩，偎并桃腮，開檀口，俏聲叫道：『御弟哥哥，長嘴大耳的是你那個高徒？』三藏道：『是我第二個徒弟。他生得食腸寬大，一生要圖口肥，須是先安排些酒食與他吃了，方可行事。』女主急問：『光禄寺安排筵宴，完否？』女官奏道：『已完，設了葷素兩樣，在東閣上哩。』女王又問：『怎麽兩樣？』女官奏道：『臣恐唐朝御弟與高徒等平素吃齋，故有葷素兩樣。』女王却又笑吟吟，偎着長老的香腮道：『御弟哥哥，你吃葷吃素？』三藏道：『貧僧吃素，但是未曾戒酒。須得幾杯素酒，與我二徒弟吃些。』

説未了，太師啓奏：『請赴東閣會宴。今宵吉日良辰，就可與御弟爺爺成親。明日天開黄道，請御弟爺爺登寶殿，面南，改年號即位。』女王大喜，即與長老携手相攙，下了龍車，共入端門裏。但見那：

風飄仙樂下樓臺，閶闔中間翠輦來。鳳闕大開光藹藹，皇宫不閉錦排排。麒麟殿内爐煙裊，孔雀屏邊房影回。亭閣崢嶸如上國，玉堂金馬更奇哉。

既至東閣之下，又聞得一派笙歌聲韵美，又見兩行紅粉貌嬌嬈。正中堂排設兩般盛宴：左邊上首是素筵，右邊上首是葷筵。下兩路盡是單席。那女王斂袍袖，十指尖尖，奉着玉杯，便來安席。行者近前道：『我師徒都是吃素。先請師父坐了左手素席，轉下三席，分左右，我兄弟們好坐。』太師喜道：『正是，正是。師徒即父子也，不可並肩。』衆女官連忙調了席面。女王一一傳杯，安了他弟兄三位。行者又與唐僧丟個眼色，教師父回禮。三藏下來，却也擎玉杯，與女王安席。那些文武官，朝上拜謝了皇恩，各依品從，分坐兩邊，才住了音樂請酒。

那八戒那管好歹，放開肚子，衹情吃起。也不管甚麽玉屑米飯、蒸餅、糖糕、蘑菇、香蕈、笋芽、木耳、黄花菜、石花菜、紫菜、蔓菁、芋頭、蘿菔、山藥、黄精，一骨辣噇了個罄盡。喝了五七杯酒，口裏嚷道：『看添换來！拿大觥來！再吃幾觥，各人幹事去。』沙僧問道：『好筵席不吃，還要幹甚事？』呆子笑道：『古人云：「造弓的造弓，造箭的造箭。」我們如今招的招，嫁的嫁，取經的還去取經，走路的還去走路，莫衹管貪杯誤事。快早兒打發關文。正是「將軍不下馬，各自奔前程。」』女王聞説，即命取大杯來。近侍官連忙取幾個鸚鵡杯、鸕鶿杓、金叵羅、銀鑿落、玻璃盞、水晶盆、蓬萊碗、琥珀鍾，滿斟玉液，連注瓊漿。果然都各飲一巡。

三藏欠身而起，對女王合掌道：『陛下，多蒙盛設，酒已够了。請登寶殿，倒换關文，趕天早，送他三人出城罷。』

女王依言，携着長老，散了筵宴，上金鑾寶殿，即讓長老即位。三藏道：『不可！不可！適太師言過，明日天開黃道，貧僧才敢即位稱孤。今日即印關文，打發他去也。』

女王依言，仍坐了龍床，即取金交椅一張，放在龍床左手，請唐僧坐了，叫徒弟們拿上通關文牒來。大聖便教沙僧解開包袱，取出關文。大聖將關文雙手捧上。那女王細看一番，上有大唐皇帝寶印九顆，下有寶象國印，烏鷄國印，車遲國印。女王看罷，嬌滴滴笑語道：『御弟哥哥又姓陳？』三藏道：『俗家姓陳，法名玄奘。因我唐王聖恩認爲御弟，賜姓我爲唐也。』女王道：『關文上如何没有高徒之名？』三藏道：『三個頑徒，不是我唐朝人物。』女王道：『既不是你唐朝人物，爲何肯隨你來？』三藏道：『大的個徒弟，祖貫東勝神洲傲來國人氏；第二個乃西牛賀洲烏斯莊人氏；第三個乃流沙河人氏。他三人都因罪犯天條，南海觀世音菩薩解脱他苦，秉善皈依，將功折罪，情願保護我上西天取經。皆是途中收得，故此未註法名在牒。』女王道：『我與你添註法名，好麽？』三藏道：『但憑陛下尊意。』女王即令取筆硯來，濃磨香翰，飽潤香毫，牒文之後，寫上孫悟空、猪悟能、沙悟净三人名諱，却纔取出御印，端端正正印了；又畫個手字花押，傳將下去。孫大聖接了，教沙僧包裹停當。

那女王又賜出碎金碎銀一盤，下龍床遞與行者道：『你三人將此權爲路費，早上西天；待汝等取經回來，寡人還有重謝。』行者道：『我們出家人，不受金銀，途中自有乞化之處。』女王見他不受，又取出綾錦十疋，對行者道：『汝等行色匆匆，裁制不及，將此路上做件衣服遮寒。』行者道：『出家人穿不得綾錦，自有護體布衣。』女王見他不受，教：『取御米三升，在路權爲一飯。』八戒聽説個『飯』字，便就接了，捎在包袱之間。行者道：『兄弟，行李見今沉重，且倒有氣力挑米？』八戒笑道：『你那裏知道，米好的是個日消貨。衹消一頓飯，就了帳也。』遂此合掌謝恩。

三藏道：『敢煩陛下相同貧僧送他三人出城，待我囑咐他們幾句，教他好生西去，我却回來，與陛下永受榮華。

無挂無牽，方可會鸞交鳳友也。』女王不知是計，便傳旨擺駕，與三藏并倚香肩，同登鳳輦，出西城而去。滿城中都盞添净水，爐降真香。一則看女王鑾駕，二來看御弟男身。没老没小，盡是粉容嬌面，緑鬢雲鬟之輩。不多時，大駕出城，到西關之外。

行者、八戒、沙僧，同心合意，結束整齊，徑迎着鑾輿，厲聲高叫道：『那女王不必遠送，我等就此拜別。』長老慢下龍車，對女王拱手道：『陛下請回，讓貧僧取經去也。』女王聞言，大驚失色，扯住唐僧道：『御弟哥哥，我願將一國之富，招你爲夫，明日高登寶位，即位稱君，我願爲君之後，喜筵通皆吃了，如何却又變卦？』八戒聽説，發起個風來，把嘴亂扭，耳朵亂摇，闖至駕前，嚷道：『我們和尚家和你這粉骷髏做甚夫妻！放我師父走路！』那女王見他那等撒潑弄醜，唬得魂飛魄散，跌入輦駕之中。

沙僧却把三藏搶出人叢，伏侍上馬。衹見那路旁閃出一個女子，喝道：『唐御弟，那裏走！我和你耍風月兒去來！』沙僧罵道：『賊輩無知！』掣寶杖劈頭就打。那女子弄陣旋風，嗚的一聲，把唐僧攝將去了，無影無踪，不知下落何處。咦！正是：

脱得煙花網，又遇風月魔。

畢竟不知那女子是人是怪，老師父的性命得死得生，且聽下回分解。

總批：

一人曰：大奇大奇，這國裏强姦和尚。又一人曰：不奇不奇，到處有底，也是常事。〇難道此國裏再無一個丈夫？作者亦嘲弄極矣。

第五十五回　色邪婬戲唐三藏　性正修持不壞身

却說孫大聖與猪八戒正要使法定那些婦女，忽聞得風響處，沙僧嚷鬧，急回頭時，不見了唐僧。行者道：『是甚人來搶師父去了？』沙僧道：『是一個女子，弄陣旋風，把師父攝了去也。』行者聞言，唿哨跳在雲端裏，用手搭涼篷，四下裏觀看。衹見一陣灰塵，風滾滾，往西北上去了。急回頭叫道：『兄弟們，快駕雲同我趕師父去來！』八戒與沙僧，即把行囊捎在馬上，響一聲，都跳在半空裏去。慌得那西梁國君臣女輩，跪在塵埃，都道：『是白日飛昇的羅漢，我主不必驚疑。唐御弟也是個有道的禪僧，我們都有眼無珠，錯認了中華男子，枉費了這場神思。請主公上輦回朝也。』女王自覺慚愧，多官都一齊回國不題。

却說孫大聖兄弟三人騰空踏霧，望着那陣旋風，一直趕來，前至一座高山，衹見灰塵息靜，風頭散了，更不知怪向何方。兄弟們按落雲霧，找路尋訪，忽見一壁廂，青石光明，却似個屏風模樣。三人牽着馬轉過石屏，石屏後有兩扇石門，門上有六個大字，乃是『毒敵山琵琶洞』。八戒無知，上前就使釘鈀築門。行者急止住道：『兄弟莫忙。我們隨旋風趕到這裏，尋了這會，方遇此門，又不知深淺如何。倘不是這個門兒，却不惹他見怪？你兩個且牽了馬，還轉石屏前立等片時，待老孫進去打聽打聽，察個有無虛實，却好行事。』沙僧聽說，大喜道：『好！好！好！正是粗中有細，果然急處從寬。』他二人牽馬回頭。

孫大聖顯個神通，捻着訣，念個咒語，搖身一變，變作蜜蜂兒，真個輕巧！你看他：

翅薄隨風軟，腰輕映日纖。嘴甜曾覓蕊，尾利善降蟾。釀蜜功何淺，投衙禮自謙。如今施巧計，飛舞入門檐。

行者自門瑕處鑽將進去，飛過二層門裏，衹見正當中花亭子上端坐着一個女怪，左右列幾個彩衣綉服，丫髻兩揫的女童，都歡天喜地，正不知講論甚麼。這行者輕輕的飛上去，釘在那花亭格子上，側耳才聽，又見兩個總角蓬頭女子，捧兩盤熱騰騰的麵食，上亭來道：『奶奶，一盤是人肉餡的葷饃饃，一盤是鄧沙餡的素饃饃。』那女怪笑道：『小的們，攙出唐御弟來。』幾個綵衣綉服的女童，走出後房，把唐僧扶出。那師父面黃唇白，眼紅淚滴。行者在暗中嗟嘆道：『師父中毒了！』

那怪走下亭，露春葱十指纖纖，扯住長老道：『御弟寬心。我這裏雖不是西梁女國的宮殿，不比富貴奢華，其實却也清閑自在，正好念佛看經。我與你做個道伴兒，真個是百歲和諧也。』三藏不語。那怪道：『且休煩惱。我知你在女國中赴宴之時，不曾進得飲食。這裏葷素麵飯兩盤，憑你受用些兒壓驚。』

三藏沉思默想道：『我待不說話，不吃東西，此怪比那女王不同，女王還是人身，行動以禮；此怪乃是妖神，恐爲加害，奈何？我三個徒弟，不知我困陷在于這裏，倘或加害，却不枉丢性命？』以心問心，無計所奈，只得强打精神，開口道：『葷的何如？素的何如？』女怪道：『葷的是人肉餡饃饃，素的是鄧沙餡饃饃。』三藏道：『貧僧吃素。』那怪笑道：『女童，看熱茶來，與你家長爺爺吃素饃饃。』一女童，果捧着香茶一盞，放在長老面前。那怪將一個素饃饃劈破，遞與三藏。三藏將個葷饃饃囫圇遞與女怪。女怪笑道：『御弟，你怎麼不劈破與我？』三藏合掌道：『我出家人，不敢破葷。』那女妖道：『你出家人不敢破葷，怎麼前日在子母河邊吃水高，今日又好吃鄧沙餡？』三藏道：『水高船去急，沙陷馬行遲。』

行者在格子眼聽着兩個言語相攀，恐怕師父亂了真性，忍不住，現了本相，掣鐵棒喝道：『孽畜無禮！』那女怪見了，口噴一道煙光，把花亭子罩住，教：『小的們，收了御弟！』他却拿一柄三股鋼叉，跳出亭門，罵道：『潑猴憊懶！怎麼敢私入吾家，偷窺我容貌！不要走！吃老娘一叉！』這大聖使鐵棒架住，且戰且退。

二人打出洞外。那八戒、沙僧，正在石屏前等候，忽見他兩個爭持，慌得八戒將白馬牽過道：『沙僧，你衹管看守行李、馬匹，等老猪去幫打幫打。』好呆子，雙手舉鈀，趕上前叫道：『師兄靠後，讓我打這潑賤！』那怪見八戒來，他又使個手段，呼了一聲，鼻中出火，口內生烟，把身子抖了一抖，三股叉飛舞衝迎。那女怪也不知

有幾隻手，没頭没臉的滚將來。這行者與八戒，兩邊攻住。那怪道：『孫悟空，你好不識進退！我便認得你，你是不認得我。你那雷音寺裏佛如來，也還怕我哩。量你這兩個毛人，到得那裏！都上來，一個個仔細看打！』這一場怎見得好戰：

女怪威風長，猴王氣概興。天蓬元帥爭功績，亂舉釘鈀要顯能。那一個手多叉緊煙光繞，這兩個性急兵强霧氣騰。女怪祇因求配偶，男僧怎肯泄元精！陰陽不對相持鬥，各逞雄才恨苦爭。陰靜養榮思動動，陽收息衛愛清清。致令兩處無和睦，叉鈀鐵棒賭輸贏。這個棒有力，鈀更能，女怪鋼叉丁對丁。毒敵山前三不讓，琵琶洞外兩無情。那一個喜得唐僧諧鳳侶，這兩個必隨長老取真經。驚天動地來相戰，祇殺得日月無光星斗更！

三個鬥罷多時，不分勝負。那女怪將身一縱，使出個倒馬毒樁，不覺的把大聖頭皮上扎了一下。行者叫聲『苦啊！』忍耐不得，負痛敗陣而走。八戒見事不諧，拖着鈀徹身而退。那怪得了勝，收了鋼叉。

行者抱頭，皺眉苦面，叫聲『利害！利害！』八戒到跟前問道：『哥哥，你怎麽正戰到好處，却就叫苦連天的走了？』行者抱着頭，祇叫：『疼！疼！疼！』沙僧道：『想是你頭風發了？』行者跳道：『不是！不是！』八戒道：『哥哥，我不曾見你受傷，却頭疼，何也？』行者哼哼的道：『了不得！了不得！我與他正然打處，他見我破了他的叉勢，他就把身子一縱，不知是件甚麽兵器，着我頭上扎了一下，就這般頭疼難禁，故此敗了陣來。』八戒笑道：『祇這等静處常誇口，説你的頭是修煉過的。却怎麽就不禁這一下兒？』行者道：『正是。我這頭，自從修煉成真，盗食了蟠桃仙酒，老子金丹，大鬧天宫時，又被玉帝差大力鬼王、二十八宿，押赴斗牛宫外處斬，那些神將使刀斧錘劍，雷打火燒，及老子把我安于八卦爐，煅煉四十九日，俱未傷損。今日不知這婦人用的是甚麽兵器，把老孫頭弄傷也！』沙僧道：『你放了手，等我看看。莫破了！』行者道：『不破！不破！』八戒道：『我去西梁國討個膏藥你貼貼。』行者道：『又不腫不破，怎麽貼得膏藥？』八戒笑道：『哥啊，我的胎前産後病倒

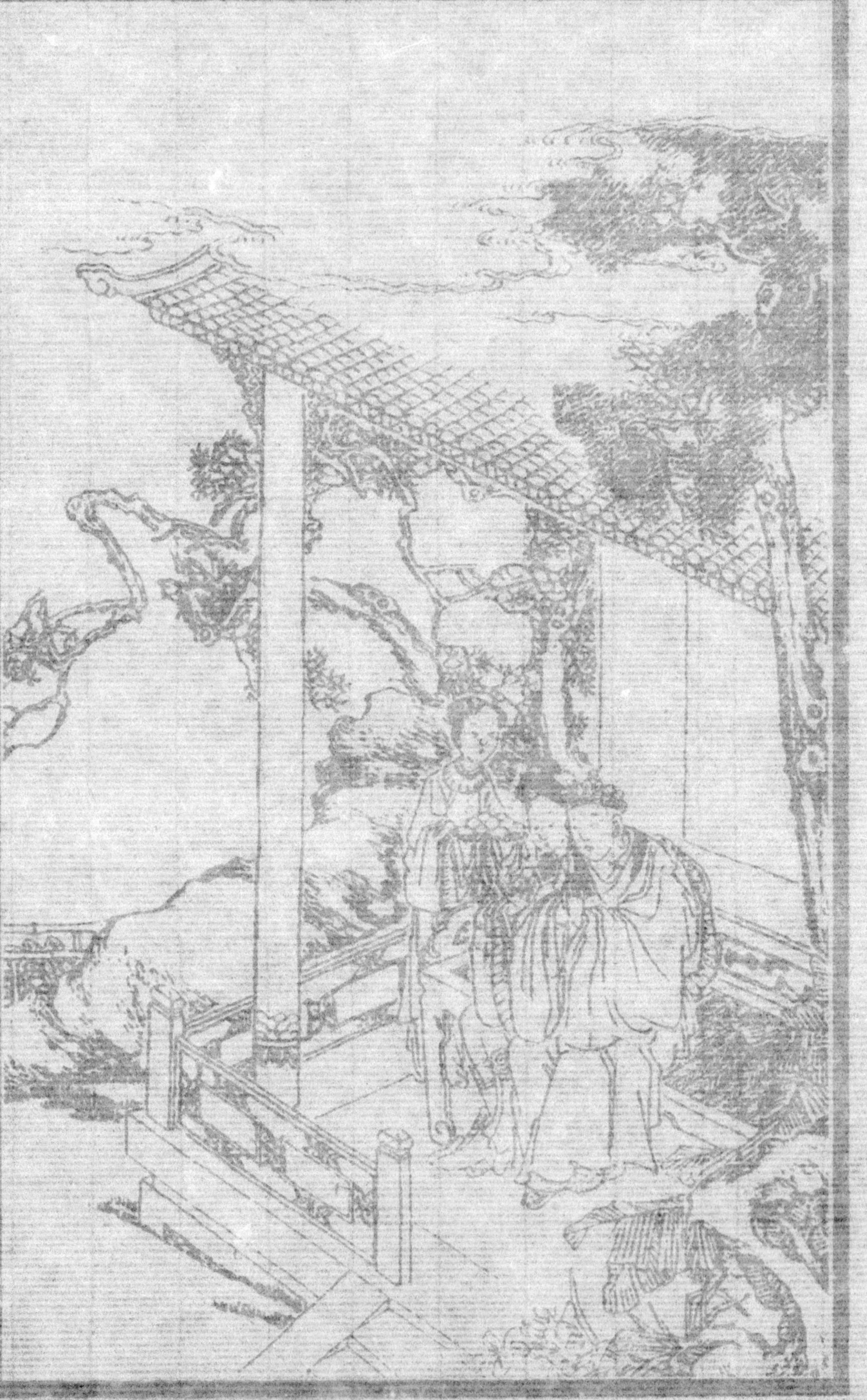

不曾有，你倒弄了個腦門癰了。』沙僧道：『二哥且休取笑。如今天色晚矣，大哥傷了頭，師父又不知死活，怎的是好！』

行者哼道：『師父没事。我進去時，變作蜜蜂兒，飛入裏面，見那婦人坐在花亭子上。少頃，兩個丫鬟，捧兩盤饃饃：一盤是人肉餡，葷的；一盤是鄧沙餡，素的。又着兩個女童扶師父出來吃一個壓驚，又要與師父做甚麼道伴兒。師父始初不與那婦人答話，也不吃饃饃；後見他甜言美語，不知怎麼，就開口説話，却説吃素的。那婦人就將一個素的劈開，遞與師父。師父將個囫圇葷的遞與那婦人。婦人道：「怎不劈破？」師父道：「出家人不敢破葷。」那婦人道：「既不破葷，前日怎麼在子母河邊飲水高，今日又好吃鄧沙餡？」師父不解其意，答他兩句道：「水高船去急，沙陷馬行遲。」我在格子上聽見，恐怕師父亂性，便就現了原身，掣棒就打。他也使神通，噴出煙霧，叫「收了御弟」，就輪鋼叉，與老孫打出洞來也。』沙僧聽説，咬指道：『這潑賤也不知從那裏就隨將我們來，把上項事都知道了！』八戒道：『這等説，便我們安歇不成？莫管甚麼黄昏半夜，且去他門上索戰，嚷嚷鬧鬧，攪他個不睡，莫教他捉弄了我師父。』行者道：『頭疼，去不得！』沙僧道：『不須索戰。一則師兄頭痛；二來我師父是個真僧，決不以色空亂性。且就在山坡下，閉風處，坐這一夜，養養精神，待天明再作理會。』遂此，三個弟兄，拴牢白馬，守護行囊，就在坡下安歇不題。

却説那女怪放下兇惡之心，重整歡愉之色，叫：『小的們，把前後門都關緊了。』又使兩個支更，防守行者。但聽門響，即時通報。却又教：『女童，將卧房收拾齊整，掌燭焚香，請唐御弟來，我與他交歡。』遂把長老從後邊攙出。那女怪弄出十分嬌媚之態，携定唐僧道：『常言「黄金未爲貴，安樂值錢多。」且和你做會夫妻兒，耍子去也。』

這長老咬定牙關，聲也不透。欲待不去，恐他生心害命，只得戰兢兢，跟着他步入香房。却如痴如痖，那裏抬頭舉目，更不曾看他房裏是甚床鋪幔帳，也不知有甚箱籠梳妝。那女怪説出的雨意雲情，亦漠然無聽。好和尚，真是那：

目不視惡色，耳不聽淫聲。他把這錦綉嬌容如糞土，金珠美貌若灰塵。一生祇愛參禪，半步不離佛地。那裏會惜玉憐香，祇曉得修真養性。那女怪，活潑潑，春意無邊；這長老，死丁丁，禪機有在。一個似軟玉温香，一個如死灰槁木。那一個，展鴛衾，淫興濃濃；這一個，束褊衫，丹心耿耿。那個要貼胸交股和鸞鳳，這個要面壁歸山訪達摩。女怪解衣，賣弄他肌香膚膩；唐僧斂衽，緊藏了糙肉粗皮。女怪道：『我枕剩衾閑何不睡？』唐僧道：『我頭光服异怎相陪！』那個道：『我願作前朝柳翠翠。』這個道：『貧僧不是月闍黎。』女怪道：『我美若西施還裊娜。』唐僧道：『我越王因此久埋屍。』女怪道：『御弟，你記得「寧教花下死，做鬼也風流」？』唐僧道：『我的真陽爲至寶，怎肯輕與你這粉骷髏……』

他兩個散言碎語的，直鬥到更深，唐長老全不動念。那女怪扯扯拉拉的不放，這師父只是老老成成的不肯。直纏到有半夜時候，把那怪弄得惱了，叫：『小的們，拿繩來！』可憐將一個心愛的人兒，一條繩，捆的像個猱獅模樣。又教拖在房廊下去，却吹滅銀燈，各歸寢處。一夜無詞。

不覺的鷄聲三唱。那山坡下孫大聖欠身道：『我這頭疼了一會，到如今也不疼不麻，只是有些作癢。』八戒笑道：『癢便再教他扎一下，何如？』行者啐了一口道：『放！放！放！』八戒又笑道：『放！放！放！我師父這一夜倒浪！浪！浪！』沙僧道：『且莫鬥口。天亮了，快趕早兒捉妖怪去。』行者道：『兄弟，你祇管在此守馬，休得動身。猪八戒跟我去。』

那呆子抖擻精神，束一束皂錦直裰，相隨行者，各帶了兵器，跳上山崖，徑至石屏之下。行者道：『你且立住。只怕這怪物夜裏傷了師父，先等我進去打聽打聽。倘若被他哄了，喪了元陽，真個虧了德行，却就大家散火；

若不亂性情，禪心未動，却好努力相持，打死精怪，救師西去。」八戒道：「乾魚可好與猫兒作枕頭？」就不如此，就不如此，也要抓你幾把是！」行者道：「莫胡疑亂說，待我看去。」

好大聖，轉石屏，別了八戒。搖身還變個蜜蜂兒，飛入門裏。見那門裏有兩個丫鬟，頭枕着梆鈴，正然睡哩。却到花亭子觀看，那妖精原來弄了半夜，都辛苦了，一個個都不知天曉，還睡着哩。行者飛來後面，影影的衹聽見唐僧聲喚。忽抬頭，見那步廊下四馬攢蹄捆着師父。行者輕輕的釘在唐僧頭上，叫：「師父。」唐僧認得聲音，道：「悟空來了？快救我命！」行者道：「夜來好事如何？」三藏咬牙道：「我寧死也不肯如此！」行者道：「昨日我見他有相憐相愛之意，却怎麽今日把你這般挫折？」三藏道：「他把我纏了半夜，我衣不解帶，身未沾床。他見我不肯相從，才捆我在此。你千萬救我取經去也！」

他師徒們正然問答，早驚醒了那個妖精。妖精雖是下狠，却還有流連不捨之意。一覺翻身，衹聽見『取經去也』一句，他就滾下床來，厲聲高叫道：「好夫妻不做，却取甚麽經去？」

行者慌了，撇却師父，急展翅，飛將出去，現了本相，叫聲「八戒。」那呆子轉過石屏道：「那話兒成了否？」行者笑道：「不曾！不曾！老師父被他摩弄不從，惱了，捆在那裏。正與我訴說前情，那怪驚醒了，我慌得出來也。」八戒道：「師父曾說甚來？」行者道：「他衹說衣不解帶，身未沾床。」八戒笑道：「好！好！好！還是個真和尚！我們救他去！」

呆子粗魯，不容分說，舉釘鈀，望他那石頭門上盡力氣一鈀，唿喇喇築做幾塊。唬得那幾個枕梆鈴睡的丫環，跑至二層門外，叫聲「開門！前門被昨日那兩個醜男人打破了！」那女怪正出房門，衹見四五個丫鬟跑進去報道：「奶奶，昨日那兩個醜男人又來把前門已打碎矣。」那怪聞言，即忙叫：「小的們！快燒湯洗面梳妝！」叫：「把御弟連繩抬在後房收了。等我打他去！」

好妖精，走出來，舉着三股叉，罵道：「潑猴！野彘！老大無知！你怎敢打破我門！」八戒罵道：「濫淫賤貨！你倒困陷我師父，返敢硬嘴！我師父是你哄將來做老公的，快快送出饒你！敢再説半個『不』字，老猪一頓鈀，連山也築倒你的！」那妖精那容分説，抖擻身軀，依前弄法，鼻口内噴烟冒火，舉鋼叉就刺八戒。八戒側身躲過，着鈀就築。孫大聖使鐵棒併力相幫。那怪又弄神通，也不知是幾隻手，左右遮攔。交鋒三五個回合，不知是甚兵器，把八戒嘴唇上，也又扎了一下。那呆子拖着鈀，侮着嘴，負痛逃生。行者却也有些醋他，虚丢一棒，敗陣而走。那妖精得勝而回，叫小的們搬石塊壘迭了前門不題。

却說那沙和尚正在坡前放馬，衹聽得那裏猪哼。忽抬頭，見八戒侮着嘴，哼將來。沙僧道：「怎的說？」呆子哼道：「了不得！了不得！——疼！疼！疼！」說不了，行者也到跟前，笑道：「好呆子啊！昨日咒我是腦門癰，今日却也弄做個腫嘴瘟了！」八戒哼道：「難忍難忍！疼得緊！利害，利害！」

三人正然難處，衹見一個老媽媽兒，左手提着一個青竹籃兒，自南山路上挑菜而來。沙僧道：「大哥，那媽媽來得近了，等我問他個信兒，看這個是甚妖精，是甚兵器，這般傷人。」行者道：「你且住，等老孫問他去來。」行者急睁睛看，衹見頭直上有祥雲蓋頂，左右有香霧籠身。行者認得，即叫：「兄弟們，還不來叩頭！那媽媽是菩薩來也。」慌得猪八戒忍疼下拜，沙和尚牽馬躬身，孫大聖合掌跪下，叫聲「南無大慈大悲救苦救難靈感觀世音菩薩。」

那菩薩見他們認得元光，即踏祥雲，起在半空，現了真像。原來是魚籃之像。行者趕到空中，拜告道：「菩薩，恕弟子失迎之罪！我等努力救師，不知菩薩下降。今遇魔難難收，萬望菩薩搭救搭救！」菩薩道：「這妖精十分利害。他那三股叉是生成的兩隻鉗脚。扎人痛者，是尾上一個鈎子，喚做『倒馬毒』。本身是個蝎子精。他前者在雷音寺聽佛談經，如來見了，不合用手推他一把，他就轉過鈎子，把如來左手中拇指上扎了一下。如來也疼難禁，

即着金剛拿他。他却在這裏。若要救得唐僧，除是別告一位方好。我也是近他不得。」行者再拜道：「望菩薩指示指示，別告那位去好，弟子即去請他也。」菩薩道：「你去東天門裏光明宮告求昴日星官，方能降伏。」言罷，遂化作一道金光，徑回南海。

孫大聖才按雲頭，對八戒、沙僧道：「兄弟放心，師父有救星了。」沙僧道：「是那裏救星？」行者道：「才然菩薩指示，教我告請昴日星官。老孫去來。」八戒侮着嘴哼道：「哥啊！就問星官討些止疼的藥餌來！」行者笑道：「不須用藥，衹似昨日疼過夜就好了。」沙僧道：「不必煩叙，快早去罷。」

好行者，急忙駕筋斗雲。須臾，到東天門外。忽見增長天王當面作禮道：「大聖何往？」行者道：「因保唐僧西方取經，路遇魔障纏身，要到光明宮見昴日星官走走。」忽又見陶、張、辛、鄧四大元帥，也問何往。行者道：「要尋昴日星官去降妖救師。」四大帥道：「星官今早奉玉帝旨意，上觀星臺巡札去了。」行者道：「可有這話？」辛天君道：「小將等與他同下斗牛宮，豈敢説假？」陶天君道：「今已許久，或將回矣。大聖還先去光明宮，如未回，再去觀星臺可也。」大聖遂喜，即別他們，至光明宮門首，果是無人，復抽身就走，衹見那壁厢有一行兵士擺列，後面星官來了。

那星官還穿的是拜駕朝衣，一身金縷。但見他：

冠簪五嶽金光彩，笏執山河玉色瓊。袍挂七星雲靉靆，腰圍八極寶環明。叮當珮響如敲韵，迅速風聲似擺鈴。翠羽扇開來昴宿，天香飄襲滿門庭。

前行的兵士，看見行者立于光明宮外，急轉身報道：「主公，孫大聖在這裏也。」那星官斂雲霧整束朝衣，停執事分開左右，上前作禮道：「大聖何來？」行者道：「專來拜煩救師父一難。」星官道：「何難？在何地方？」行者道：「在西梁國毒敵山琵琶洞。」星官道：「那山洞有甚妖怪，却來呼喚小神？」行者道：「觀音菩薩適纔顯化，

説是一個蝎子精。特舉先生方能治得，因此來請。」星官道：「本欲回奏玉帝，奈大聖至此，又感菩薩舉薦，恐遲誤事，小神不敢請獻茶，且和你去降妖精，却再來回旨罷。」

大聖聞言，即同出東天門，直至西梁國。望見毒敵山不遠，行者指道：「此山便是。」星官按下雲頭，同行者至石屏前山坡之下。沙僧見了道：「二哥起來，大哥請得星官來了。」那呆子還侮着嘴道：「恕罪！恕罪！有病在身，不能行禮。」星官道：「你是修行之人，何病之有？」八戒道：「早間與那妖精交戰，被他着我唇上扎了一下，至今還疼呀。」星官道：「你上來，我與你醫治醫治。」呆子才放了手，口裏哼哼唧唧道：「千萬治治！待好了謝你。」那星官用手把嘴唇上摸了一摸，吹一口氣，就不疼了。呆子歡喜下拜道：「妙啊！妙啊！」行者笑道：「煩星官也把我頭上摸摸。」星官道：「你未遭毒，摸他何爲？」行者道：「昨日也曾遭過，只是過了夜，才不疼，如今還有些麻癢，衹恐發天陰，也煩治治。」星官真個也把頭上摸了一摸，吹口氣，也就解了餘毒，不麻不癢了。八戒發狠道：「哥哥，去打那潑賤去！」星官道：「正是，正是。你兩個叫他出來，等我好降他。」

行者與八戒跳上山坡，又至石屏之後。呆子口裏亂罵，手似撈鈎，一頓釘鈀，把那洞門外壘迭的石塊爬開；闖至二層門，又一釘鈀，將二門築得粉碎。慌得那門裏小妖飛報：「奶奶！那兩個醜男人，又把二層門也打破了！」那怪正教解放唐僧，討素茶飯與他吃哩，聽見打破二門，即便跳出花亭子，輪叉來刺八戒。八戒使釘鈀迎架。行者在旁，又使鐵棒來打。那怪趕至身邊，要下毒手，行者與八戒識得方法，回頭就走。

那怪趕過石屏之後，行者叫聲「昴宿何在？」衹見那星官立于山坡上，現出本相，原來是一隻雙冠子大公鷄，昂起頭來，約有六七尺高，對着妖精叫一聲，那怪即時就現了本像，是個琵琶來大小的蝎子精。星官再叫一聲，那怪渾身酥軟，死在坡前。有詩爲證。詩曰：

花冠綉頸若團纓，爪硬距長目怒睛。踴躍雄威全五德，峥嶸壯勢羡三鳴。豈如凡鳥啼茅屋，本是天星顯聖名。

毒蝎枉修人道行，還原反本見真形。

八戒上前，一隻脚躧住那怪的胸背道：『孽畜！今番使不得倒馬毒了！』那怪動也不動，被呆子一頓釘鈀搗作一團爛醬。那星官復聚金光，駕雲而去。行者與八戒、沙僧朝天拱謝道：『有累！有累！改日赴宫拜酬。』

三人謝畢。却纔收拾行李、馬匹，都進洞裏。見那大小丫鬟，兩邊跪下，拜道：『爺爺，我們不是妖邪，都是西梁國女人，前者被這妖精攝來的。你師父在後邊香房裏坐着哭哩。』行者聞言，仔細觀看，果然不見妖氣，遂入後邊叫道：『師父！』那唐僧見衆齊來，十分歡喜道：『賢徒，累及你們了！那婦人何如也？』八戒道：『那廝原是個大母蝎子。幸得觀音菩薩指示，大哥去天宫裏請得那昴日星官下降，把那廝收伏。才被老猪築做個泥了，——方敢深入于此，得見師父之面。』唐僧謝之不盡。又尋些素米、素面，安排了飯食，吃了一頓。把那些攝將來的女子趕下山，指與回家之路。點上一把火，把幾間房宇，燒毁罄盡。請唐僧上馬，找尋大路西行。正是：

割斷塵緣離色相，推乾金海悟禪心。

畢竟不知幾年上才得成真，且聽下回分解。

總批：

人言蝎子毒，我道婦人更毒。或問何也，曰：若是蝎子毒似婦人，他不來假婦人名色矣。爲之絶倒。

又批：

或問：蝎子毒矣，乃化婦人，何也？答曰：以婦人尤毒耳。

第五十六回　神狂誅草寇　道昧放心猿

詩曰：

靈臺無物謂之清，寂寂全無一念生。猿馬牢收休放蕩，精神謹慎莫崢嶸。除六賊，悟三乘，萬緣都罷自分明。色邪永滅超真界，坐享西方極樂城。

話説唐三藏咬釘嚼鐵，以死命留得一個不壞之身，感蒙行者等打死蝎子精，救出琵琶洞。一路無詞，又早是朱明時節。但見那：

熏風時送野蘭香，濯雨才晴新竹凉。艾葉滿山無客采，蒲花盈澗自争芳。海榴嬌艷遊蜂喜，溪柳陰濃黄雀狂。長路那能包角黍，龍舟應吊汨羅江。

他師徒們行賞端陽之景，虛度中天之節，忽又見一座高山阻路。長老勒馬回頭叫道：『悟空，前面有山，恐又生妖怪，是必謹防。』行者等道：『師父放心。我等皈命投誠，怕甚妖怪！』長老聞言甚喜。加鞭催駿馬，放轡趲蛟龍。須臾，上了山崖，舉頭觀看，真個是：

頂巔松柏接雲青，石壁荆榛挂野藤。萬丈崔巍，千層懸削。萬丈崔巍峰嶺峻，千層懸削壑崖深。蒼苔碧蘚鋪陰石，古檜高槐結大林。林深處，聽幽禽，巧聲睍睆實堪吟。澗内水流如瀉玉，路旁花落似堆金。山勢惡，不堪行，十步全無半步平。狐狸麋鹿成雙遇，白鹿玄猿作對迎。忽聞虎嘯驚人膽，鶴鳴振耳透天庭。黄梅紅杏堪供食，野草閑花不識名。

四衆進山，緩行良久，過了山頭。下西坡，乃是一段平陽之地。猪八戒賣弄精神，教沙和尚挑着擔子，他雙手舉鈀，上前趕馬。那馬更不懼他，憑那呆子嗒笞笞的，還只是緩行不緊。行者道：『兄弟，你趕他怎的？讓他慢慢走罷了。』八戒道：『天色將晚，自上山行了這一日，肚裏餓了，大家走動些，尋個人家化些齋吃。』行者聞言道：『既如此，

等我教他快走。』把金箍棒幌一幌，喝了一聲，那馬溜了繮，如飛似箭，順平路往前去了。你說馬不怕八戒，只怕行者何也？行者五百年前曾受玉帝封在大羅天御馬監養馬，官名『弼馬溫』，故此傳留至今，是馬皆懼猴子。那長老挽不住繮口，衹扳緊着鞍轎，讓他放了一路轡頭，有二十里向開田地，方纔緩步而行。

正走處，忽聽得一棒鑼聲，路兩邊閃出三十多人，一個個槍刀棍棒，擋住路口道：『和尚！那裏走！』唬得個唐僧戰兢兢，坐不穩，跌下馬來，蹲在路旁草科裏，衹叫『大王饒命！大王饒命！』那爲頭的兩個大漢道：『不打你，只是有盤纏留下。』長老方纔省悟，知他是伙强人，却欠身抬頭觀看。但見他：

一個青臉獠牙欺太歲，一個暴睛圜眼賽喪門。鬢邊紅髮如飄火，頷下黃鬚似插針。他兩個頭戴虎皮花磕腦，腰系貂裘彩戰裙。一個手中執着狼牙棒，一個肩上横擔扢撻藤。果然不亞巴山虎，真個猶如出水龍。

三藏見他這般兇惡，只得走起來，合掌當胸道：『大王，貧僧是東土唐王差往西天取經者。自別了長安，年深日久，就有些盤纏也使盡了。出家人專以乞化爲由，那得個財帛！萬望大王方便方便，讓貧僧過去罷！』那兩個賊帥衆向前道：『我們在這裏起一片虎心，截住要路，專要些財帛，甚麼方便方便？你果無財帛，快早脱下衣服，留下白馬，放你過去！』三藏道：『阿彌陀佛！貧僧這件衣服，是東家化布，西家化針，零零碎碎化來的。你若剥去，可不害殺我也？只是這世裏做得好漢，那世裏變畜生哩！』

那賊聞言大怒，掣大棍，上前就打。這長老口内不言，心中暗想道：『可憐！你衹説你的棍子，還不知我徒弟的棍子哩！』那賊那容分説，舉着棒，没頭没臉的打來。長老一生不會説謊，遇着這急難處，没奈何，只得打個誑語道：『二位大王，且莫動手。我有個小徒弟，在後面就到。他身上有幾兩銀子，把與你罷。』那賊道：『這和尚是也吃不得虧，且捆起來。』衆嘍啰一齊下手，把一條繩捆了，高高吊在樹上。

却説三個撞禍精，隨後趕來。八戒呵呵大笑道：『師父去得好快，不知在那裏等我們哩。』忽見長老在樹上，他又説：『你看師父。等便罷了，却又有這般心腸，爬上樹去，扯着藤兒打鞦韆耍子哩！』行者見了道：『呆子，莫亂談。師父吊在那裏不是？你兩個慢來，等我去看看。』好大聖，急登高坡細看，認得是伙强人。心中暗喜道：『造化！造化！買賣上門了！』即轉步，摇身一變，變做個幹乾浄浄的小和尚，穿一領緇衣，年紀衹有二八，肩上揹着一個藍布包袱。拽開步，來到前邊，叫道：『師父，這是怎麽説話？這都是些甚麽歹人？』三藏道：『徒弟呀，還不救我一救，還問甚的？』行者道：『是幹甚勾當的？』三藏道：『這一伙攔路的，把我攔住，要買路錢。因身邊無物，遂把我吊在這裏，衹等你來計較計較。不然，把這匹馬送與他罷。』行者聞言笑道：『師父不濟。天下也有和尚，似你這樣皮鬆的却少。唐太宗差你往西天見佛，誰教你把這龍馬送人？』三藏道：『徒弟呀，似這等吊起來，打着要，怎生是好？』行者道：『你怎麽與他説來？』三藏道：『他打的我急了，没奈何，把你供出來也。』行者道：『師父，你好没搭撒。你供我怎的？』三藏道：『我説你身邊有些盤纏，且教道莫打我，是一時救難的話兒。』行者道：『好！好！好！承你抬舉。正是這樣供。若肯一個月供得七八十遭，老孫越有買賣。』

那伙賊見行者與他師父講話，撒開勢，圍將上來道：『小和尚，你師父説你腰裏有盤纏，趁早拿出來，饒你們性命！若道半個「不」字，就都送了你的殘生！』行者放下包袱道：『列位長官，不要嚷。盤纏有些在此包袱，不多，衹有馬蹄金二十來錠，粉面銀二三十錠，散碎的未曾見數。要時就連包兒拿去，切莫打我師父。古書云：「德者，本也；財者，末也。」此是末事。我等出家人，自有化處。若遇着個齋僧的長者，襯錢也有，衣服也有，能用幾何？衹望放下我師父來，我就一併奉承。』那伙賊聞言，都甚歡喜道：『這老和尚慳吝，這小和尚倒還慷慨。』教：『放下來。』那長老得了性命，跳上馬，顧不得行者，操着鞭，一直跑回舊路。

行者忙叫道：『走錯路了。』提着包袱，就要追去。那伙賊攔住道：『那裏走？將盤纏留下，免得動刑！』行者笑道：『説開，盤纏須三分分之。』那賊頭道：『這小和尚忒乖，就要瞞着他師父留起些兒。——也罷，拿出來

看。若多時，也分些與你背地裏買果子吃。』行者道：『哥呀，不是這等說。我那裏有甚盤纏？說你兩個打劫別人的金銀，是必分些與我。』那賊聞言大怒，罵道：『這和尚不知死活！你倒不肯與我，返問我要！不要走！看打！』輪起一條扢撻藤棍，照行者光頭上打了七八下。行者祇當不知，且滿面陪笑道：『哥呀，若是這等打，就打到來年打罷春，也是不當真的。』那賊大驚道：『這和尚好硬頭！』行者笑道：『不敢，不敢，承過獎了。也將就看得過。』那賊那容分說，兩三個一齊亂打。行者道：『列位息怒，等我拿出來。』

好大聖，耳中摸一摸，拔出一個綉花針兒道：『列位，我出家人，果然不曾帶得盤纏，祇這個針兒送你罷。』那賊道：『晦氣呀！把一個富貴和尚放了，却拿住這個窮禿驢！你好道會做裁縫？我要針做甚的？』行者聽說不要，就拈在手中，晃了一晃，變作碗來粗細的一條棍子。那賊害怕道：『這和尚生得小，倒會弄術法兒。』行者將棍子插在地下道：『列位拿得動，就送你罷。』兩個賊上前搶奪，可憐就如蜻蜓撼石柱，莫想弄動半分毫。這條棍本是如意金箍棒，天秤稱的，一萬三千五百斤重，那伙賊怎麽知得。大聖走上前，輕輕的拿起，丢一個蟒翻身拗步勢，指着强人道：『你都造化低，遇着我老孫了！』那賊上前來，又打了五六十下。行者笑道：『你也打得手困了，且讓老孫打一棒兒，却休當真。』你看他展開棍子，幌一幌，有井欄粗細，七八丈長短；蕩的一棍，把一個打倒在地，嘴唇搵土，再不做聲。那一個開言罵道：『這禿廝老大無禮！盤纏没有，轉傷我一個人！』行者笑道：『且消停，且消停！待我一個個打來，一發教你斷了根罷！』蕩的又一棍，把第二個又打死了，唬得那衆嘍啰撇槍弃棍，四路逃生而走。

却說唐僧騎着馬，往東正跑，八戒、沙僧攔住道：『師父往那裏去？錯走路了。』長老兜馬道：『徒弟啊，趁早去與你師兄說，教他棍下留情，莫要打殺那些强盜。』八戒道：『師父住下，等我去來。』呆子一路跑到前邊，厲聲高叫道：『哥哥，師父教你莫打人哩。』行者道：『兄弟，那曾打人？』八戒道：『那强盗往那裏去了？』行者道：『別個都散了，只是兩個頭兒在這裏睡覺哩。』八戒笑道：『你兩個遭瘟的，好道是熬了夜，這般辛苦，不往別處睡，却睡在此處！』呆子行到身邊，看看道：『倒與我是一起的，乾净張着口睡，淌出些粘涎來了。』行者道：『是老孫一棍子打出豆腐來了。』八戒道：『人頭上又有豆腐？』行者道：『打出腦子來了！』

八戒聽說打出腦子來，慌忙跑轉去，對唐僧道：『散了伙也！』三藏道：『善哉！善哉！往那條路上去了？』八戒道：『打也打得直了脚，又會往那裏去走哩！』三藏道：『你怎麽說散伙？』八戒道：『打殺了，不是散伙是甚的？』三藏問：『打的怎麽模樣？』八戒道：『頭上打了兩個大窟窿。』三藏教：『解開包，取幾文襯錢，快去那裏討兩個膏藥與他兩個貼貼。』八戒笑道：『師父好没正經。膏藥只好貼得活人的瘡腫，那裏好貼得死人的窟窿？』三藏道：『真打死了？』就惱起來，口裏不住的絮絮叨叨，猢猻長，猴子短，兜轉馬，與沙僧、八戒至死人前，見那血淋淋的，倒卧山坡之下。

這長老甚不忍見，即着八戒：『快使釘鈀，築個坑子埋了，我與他念卷《倒頭經》。』八戒道：『師父左使了人也。行者打殺人，還該教他去燒埋，怎麽教老猪做土工？』行者被師父罵惱了，喝着八戒道：『潑懶夯貨！趁早兒去埋！遲了些兒，就是一棍！』呆子慌了，往山坡下築了有三尺深，下面都是石脚石根，扛住鈀齒；呆子丢了鈀，便把嘴拱；拱到軟處，一嘴有二尺五，兩嘴有五尺深，把兩個賊屍埋了，盤作一個墳堆。三藏叫：『悟空，取香燭來，待我禱祝，好念經。』行者努着嘴道：『好不知趣！這半山之中，前不巴村，後不着店，那討香燭？就有錢也無處去買。』三藏恨恨的道：『猴頭過去！等我撮土焚香禱告。』這是三藏離鞍悲野冢，聖僧善念祝荒墳。祝云：

『拜惟好漢，聽禱原因：念我弟子，東土唐人。奉太宗皇帝旨意，上西方求取經文。適來此地，逢爾多人，不知是何府、何州、何縣，都在此山内結黨成群。我以好話，哀告殷勤。爾等不聽，返善生嗔。却遭行者，棍下傷身。切念屍骸暴露，吾隨掩土盤墳。折青竹爲香燭，無光彩，有心勤；取頑石作施食，無滋味，有誠真。你到森羅殿

下興詞，倒樹尋根，他姓孫，我姓陳，各居异姓。冤有頭，債有主，切莫告我取經僧人。』

八戒笑道：『師父推了乾浄。他打時却也没有我們兩個。』三藏真個又撮土禱告道：『好漢告狀，衹告行者，也不幹八戒、沙僧之事。』大聖聞言，忍不住笑道：『師父，你老人家忒没情義。爲你取經，我費了多少殷勤勞苦，如今打死這兩個毛賊，你倒教他去告老孫。雖是我動手打，却也只是爲你。你不往西天取經，我不與你做徒弟，怎麽會來這裏，會打殺人！索性等我祝他一祝。』揝着鐵棒，望那墳上搗了三下，道：『遭瘟的强盗，你聽着！我被你前七八棍，後七八棍，打得我不疼不癢的，觸惱了性子，一差二誤，將你打死了，盡你到那裏去告，我老孫實是不怕：玉帝認得我，天王隨得我；二十八宿懼我，九曜星官怕我，府縣城隍跪我，東嶽天齊怖我；十代閻君曾與我爲僕從，五路猖神曾與我當後生；不論三界五司，十方諸宰，都與我情深面熟，隨你那裏去告！』三藏見説出這般惡話，却又心驚道：『徒弟呀，我這禱祝是教你體好生之德，爲良善之人；你怎麽就認真起來？』行者道：『師父，這不是好耍子的勾當。——且和你趕早尋宿去。』那長老只得懷嗔上馬。

孫大聖有不睦之心，八戒、沙僧亦有嫉妒之意，師徒都面是背非。依大路向西正走，忽見路北下有一座莊院。三藏用鞭指定道：『我們到那裏借宿去。』八戒道：『正是。』遂行至莊舍邊下馬。看時，却也好個住場。但見：

野花盈徑，雜樹遮扉。遠岸流山水，平畦種麥葵。蒹葭露潤輕鷗宿，楊柳風微倦鳥栖。青柏間松爭翠碧，紅蓬映蓼鬥芳菲。村犬吠，晚鷄啼，牛羊食飽牧童歸。爨煙結霧黄粱熟，正是山家入暮時。

長老向前，忽見那村舍門裏走出一個老者，即與相見，道了問訊。那老者問道：『僧家從那裏來？』三藏道：『貧僧乃東土大唐欽差往西天求經者。適路過寶方，天色將晚，特來檀府告宿一宵。』老者笑道：『你貴處到我這裏，程途迢遞，怎麽涉水登山，獨自到此？』三藏道：『貧僧還有三個徒弟同來。』老者問：『高徒何在？』三藏用手指道：『那大路旁立的便是。』老者猛抬頭，看見他們面貌醜陋，急回身往裏就走，被三藏扯住道：『老施主，千萬慈悲，

告借一宿！』老者戰兢兢鉗口難言，摇着頭，擺着手道：『不，不，不，不像人模樣！是，是，——是幾個妖精！』三藏陪笑道：『施主切休恐懼。我徒弟生得是這等相貌，不是妖精。』老者道：『爺爺呀，一個夜叉，一個馬面，一個雷公！』行者聞言，厲聲高叫道：『雷公是我孫子，夜叉是我重孫，馬面是我玄孫哩！』那老者聽見，魄散魂飛，面容失色，衹要進去。三藏攙住他，同到草堂，陪笑道：『老施主，不要怕他。他都是這等粗魯，不會説話。』

正勸解處，衹見後面走出一個婆婆，携着五六歲的一個小孩兒，道：『爺爺，爲何這般驚恐？』老者才叫：『媽媽，看茶來。』那婆婆真個丢了孩兒，入裏面捧出二鍾茶來。茶罷，三藏却轉下來，對婆婆作禮道：『貧僧是東土大唐差往西天取經的。才到貴處，拜求尊府借宿，因是我三個徒弟貌醜，老家長見了虚驚也。』婆婆道：『見貌醜的就這等虚驚，若見了老虎豺狼，却怎麽好？』老者道：『媽媽呀，人面醜陋還可，只是言語一發嚇人。我説他像夜叉、馬面、雷公，他吆喝道，雷公是他孫子，夜叉是他重孫，馬面是他玄孫。我聽此言，故然悚懼。』唐僧道：『不是，不是。像雷公的，是我大徒孫悟空。像馬面的，是我二徒豬悟能。像夜叉的，是我三徒沙悟净。他們雖是醜陋，却也秉教沙門，皈依善果，不是甚麽惡魔毒怪，怕他怎麽！』

公婆兩個，聞説他名號，皈正沙門之言，却纔定性回驚，教：『請來，請來。』長老出門叫來。又吩咐道：『適纔這老者甚惡你等。今進去相見，切勿抗禮，各要尊重些。』八戒道：『我俊秀，我斯文，不比師兄撒潑。』行者笑道：『不是嘴長、耳大、臉醜，便也是一個好男子。』沙僧道：『莫争講，這裏不是那抓乖弄俏之處。且進去！且進去！』遂此把行囊、馬匹，都到草堂上，齊同唱了個喏，坐定。那媽媽兒賢慧，即便携轉小兒，吩咐煮飯，安排一頓素齋，他師徒吃了。漸漸晚了，又掌起燈來，都在草堂上閑叙。長老才問：『施主高姓？』老者道：『姓楊。』又問年紀。老者道：『七十四歲。』又問：『幾位令郎？』老者道：『止得一個。適纔媽媽携的是小孫。』長老：『請令郎相見拜揖。』老者道：『那廝不中拜。老拙命苦，養不着他，如今不在家了。』三藏道：『何方生理？』老

者點頭而嘆：『可憐！可憐！若肯何方生理，是吾之幸也！那廝專生惡念，不務本等，專好打家截道，殺人放火！相交的都是些狐群狗黨！自五日之前出去，至今未回。』三藏聞説，不敢言喘，心中暗想道：『或者悟空打殺的就是也。』長老神思不安，欠身道：『善哉！善哉！如此賢父母，何生惡逆兒！』行者近前道：『老官兒，似這等不良不肖，姦盗邪淫之子，連累父母，要他何用！等我替你尋他來打殺了罷。』老者道：『我待也要送了他，奈何再無以次人丁，縱是不才，一定還留他與老漢掩土。』沙僧與八戒笑道：『師兄，莫管閑事，你我不是官府。他家不肯，與我何幹！且告施主，見賜一束草兒，在那廂打鋪睡覺，天明走路。』老者即起身，着沙僧到後園裏拿兩個稻草，教他們在園中草團瓢內安歇。行者牽了馬，八戒挑了行李，同長老俱到團瓢內安歇不題。

却説那伙賊內果有老楊的兒子。自天早在山前被行者打死兩個賊首，他們都四散逃生。約摸到四更時候，又結坐一伙，在門前打門。老者聽得門響，即披衣道：『媽媽，那廝們來也。』媽媽道：『既來，你去開門，放他來家。』老者方纔開門，衹見那一伙賊都嚷道：『餓了！餓了！』這老楊的兒子忙入裏面，叫起他妻來，打米煮飯；却厨下無柴，往後園裏拿柴到厨房裏，問妻道：『後園裏白馬是那裏的？』其妻道：『是東土取經的和尚，昨晚至此借宿，公公婆婆管待他一頓晚齋，教他在草團瓢內睡哩。』

那廝聞言，走出草堂，拍手打掌笑道：『兄弟們，造化！造化！冤家在我家裏也！』衆賊道：『那個冤家？』那廝道：『却是打死我們頭兒的和尚，來我家借宿，現睡在草團瓢裏。』衆賊道：『却好！却好！拿住這些秃驢，一個個剁成肉醬，一則得那行囊、白馬，二來與我們頭兒報仇！』那廝道：『且莫忙。你們且去磨刀。等我煮飯熟了，大家吃飽些，一齊下手。』真個那些賊磨刀的磨刀，磨槍的磨槍。

那老兒聽得此言，悄悄的走到後園，叫起唐僧四位道：『那廝領衆來了。知得汝等在此，意欲圖害。我老拙念你遠來，不忍傷害。快早收拾行李，我送你往後門出去罷！』三藏聽説，戰兢兢的叩頭謝了老者，即喚八戒牽馬，沙僧挑擔，行者拿了九環錫杖。老者開後門，放他去了，依舊悄悄的來前睡下。

却説那廝們磨快了刀槍，吃飽了飯食，時已五更天氣，一齊來到園中看處，却不見了。即忙點燈着火，尋够多時，四無踪跡，但見後門開着。都道：『從後門走了！走了！』發一聲喊，『趕將上拿來。』一個個如飛似箭，直趕到東方日出，却纔望見唐僧。

那長老忽聽得喊聲，回頭觀看，後面有二三十人，槍刀簇簇而來。便叫：『徒弟啊，賊兵追至，怎生奈何！』行者道：『放心！放心！老孫了他去來！』三藏勒馬道：『悟空，切莫傷人，衹嚇退他便罷。』行者那肯聽信，急掣棒回首相迎道：『列位那裏去？』衆賊罵道：『秃廝無禮！還我大王的命來！』那廝們圈子陣把行者圍在中間，舉槍刀亂砍亂搠。這大聖把金箍棒幌一幌，碗來粗細，把那伙賊打得星落雲散，蕩着的就死，挽着的就亡；搕着的骨折，擦着的皮傷；乖些的跑脱幾個，痴些的都見閻王！

三藏在馬上，見打倒許多人，慌的放馬奔西。猪八戒與沙和尚，緊隨鞭鐙而去。行者問那不死帶傷的賊人道：『那個是那楊老兒的兒子？』那賊哼哼的告道：『爺爺，那穿黄的是！』行者上前，奪過刀來，把個穿黄的割下頭來，血淋淋提在手中，收了鐵棒，拽開雲步，趕到唐僧馬前，提着頭道：『師父，這是楊老兒的逆子，被老孫取將首級來也。』三藏見了，大驚失色，慌得跌下馬來，罵道：『這潑猢猻唬殺我也！快拿過！快拿過！』八戒上前，將人頭一脚踢下路旁，使釘鈀築些土蓋了。

沙僧放下擔子，攙着唐僧道：『師父請起。』那長老在地下正了性，口中念起《緊箍兒咒》來，把個行者勒得耳紅面赤，眼脹頭昏，在地下打滚，衹教：『莫念！莫念！』那長老念够有十餘遍，還不住口。行者翻筋斗，豎蜻蜓，疼痛難禁，衹叫：『師父饒我罪罷！有話便説。莫念！莫念！』三藏却纔住口道：『没話説，我不要你跟了，你回去罷！』行者忍疼磕頭道：『師父，怎的就趕我去耶？』三藏道：『你這潑猴，兇惡太甚，不是個取經之人。

昨日在山坡下，打死那兩個賊頭，我已怪你不仁。及晚了到老者之家，蒙他賜齋借宿，又蒙他開後門放我等逃了性命；雖然他的兒子不肖，與我無幹，也不該就梟他首；況又殺死多人，壞了多少生命，傷了天地多少和氣。屢次勸你，更無一毫善念，要你何爲！——快走！快走！免得又念真言！」行者害怕，衹教：「莫念，莫念！我去也！」說聲去，一路筋斗雲，無影無蹤，遂不見了。咦！這正是：

心有兇狂丹不熟，神無定位道難成。

畢竟不知那大聖投向何方，且聽下回分解。

總批：

唐三藏甚是腐氣，可厭，可厭。○此回極有微意，吾人怒是大病，乃心之奴也，非心之主也。一怒，此心便要走漏。懲忿不還怒，此聖學之所拳拳也。讀者着眼。

又批：

唐三藏對强盗雲『這世裏做好漢，那世裏變畜生』，是真實話，非誑語也。做盗賊者念之，凡有盗賊之心者都念之。

第五十七回　真行者落伽山訴苦　假猴王水簾洞謄文

却說孫大聖惱惱悶悶，起在空中，欲待回花果山水簾洞，恐本洞小妖見笑，笑我出乎爾反乎爾，不是個大丈夫之器；欲待要投奔天宮，又恐天宮內不容久住；欲待要投海島，却又羞見那三島諸仙；欲待要奔龍宮，又不伏氣求告龍王；真個是無依無倚，苦自忖量道：「罷！罷！罷！我還去見我師父，還是正果。」

遂按下雲頭，徑至三藏馬前侍立道：「師父，恕弟子這遭！向後再不敢行兇，一一受師父教誨。千萬還得我保你西天去也。」唐僧見了，更不答應，兜住馬，即念《緊箍兒咒》。顛來倒去，又念有二十餘遍，把大聖咒倒在地，箍兒陷在肉裏有一寸來深淺，方纔住口道：「你不回去，又來纏我怎的？」行者衹教：「莫念！莫念！我是有處過日子的，只怕你無我去不得西天。」三藏發怒道：「你這猢猻殺生害命，連累了我多少，如今實不要你了！我去得去不得，不幹你事！快走，快走！遲了些兒，我又念真言。這番決不住口，把你腦漿都勒出來哩！」大聖疼痛難忍，見師父更不回心，沒奈何，只得又駕筋斗雲，起在空中。忽然省悟道：「這和尚負了我心，我且向普陀崖告訴觀音菩薩去來。」

好大聖，撥回筋斗，那消一個時辰，早至南洋大海。住下祥光，直至落伽山上，撞入紫竹林中，忽見木叉行者迎面作禮道：「大聖何往？」行者道：「要見菩薩。」木叉即引行者至潮音洞口，又見善財童子作禮道：「大聖何來？」行者道：「有事要告菩薩。」善財聽見一個『告』字，笑道：「好刁嘴猴兒！還像當時我拿住唐僧被你欺哩！我菩薩是個大慈大悲，大願大乘，救苦救難，無邊無量的聖善菩薩，有甚不是處，你要告他？」行者滿懷悶氣，一聞此言，心中怒發，咄的一聲，把善財童子喝了個倒退，道：「這個背義忘恩的小畜生，着實愚魯！你那時節作怪成精，我請菩薩收了你，皈正迦持，如今得這等極樂長生，自在逍遙，與天同壽，還不拜謝老孫，轉倒這般侮慢！我是有事來告求菩薩，却怎麽說我刁嘴要告菩薩？」善財陪笑道：「還是個急猴子。我與你作笑耍子，

你怎麼就變臉了？』

正講處，衹見白鸚哥飛來飛去，知是菩薩呼喚，木叉與善財，遂向前引導，至寶蓮臺下。行者望見菩薩，倒身下拜，止不住泪如泉涌，放聲大哭。菩薩教木叉與善財扶起道：『悟空，有甚傷感之事，明明說來。莫哭，莫哭，我與你救苦消灾也。』行者垂泪再拜道：『當年弟子爲人，曾受那個氣來？自蒙菩薩解脱天灾，秉教沙門，保護唐僧往西天拜佛求經，我弟子捨身拚命，救解他的魔障，就如老虎口裏奪脆骨，蛟龍背上揭生鱗。衹指望歸真正果，洗業除邪，怎知那長老背義忘恩，直迷了一片善緣，更不察皂白之苦！』菩薩道：『且說那皂白原因來我聽。』行者即將那打殺草寇前後始終，細陳了一遍。却說唐僧因他打死多人，心生怨恨，不分皂白，遂念《緊箍兒咒》，趕他幾次。上天無路，入地無門，特來告訴菩薩。菩薩道：『唐三藏奉旨投西，一心要秉善爲僧，決不輕傷性命。似你有無量神通，何苦打死許多草寇！草寇雖是不良，到底是個人身，不該打死。比那妖禽怪獸、鬼魅精魔不同。那個打死，是你的功績；這人身打死，還是你的不仁。但祛退散，自然救了你師父。據我公論，還是你的不善。』

行者噙泪叩頭道：『縱是弟子不善，也當將功折罪，不該這般逐我。萬望菩薩，捨大慈悲，將《鬆箍兒咒》念念，褪下金箍，交還與你，放我仍往水簾洞逃生去罷！』菩薩笑道：『《緊箍兒咒》，本是如來傳我的。當年差我上東土尋取經人，賜我三件寶貝，乃是錦襴袈裟、九環錫杖、金緊禁三個箍兒。秘授與咒語三篇，却無甚麼《鬆箍兒咒》。』行者道：『既如此，我告辭菩薩去也。』菩薩道：『你辭我往那裏去？』行者道：『我上西天，拜告如來，求念《鬆箍兒咒》去也。』菩薩道：『你且住，我與你看看祥晦如何。』行者道：『不消看，衹這樣不祥也够了。』菩薩道：『我不看你，看唐僧的祥晦。』

好菩薩，端坐蓮臺，運心三界，慧眼遥觀，遍周宇宙，霎時間開口道：『悟空，你那師父頃刻之際，就有傷身之難，不久便來尋你。你衹在此處，待我與唐僧説，教他還同你去取經，了成正果。』孫大聖只得皈依，不敢造次，侍立

于寶蓮臺下不題。

却說唐長老自趕回行者，教八戒引馬，沙僧挑擔，連馬四口，奔西走不上五十里遠近，三藏勒馬道：「徒弟，自五更時出了村舍，又被那弼馬溫着了氣惱，這半日飢又飢，渴又渴，那個去化些齋來我吃？」八戒道：「師父且請下馬，等我看可有鄰近的莊村，化齋去也。」三藏聞言，滾下馬來。呆子縱起雲頭，半空中仔細觀看，一望盡是山嶺，莫想有個人家。八戒按下雲來，對三藏道：「却是沒處化齋。一望之間，全無莊舍。」三藏道：「既無化齋之處，且得些水來解渴也可。」八戒道：「等我去南山澗下取些水來。」沙僧即取鉢盂，遞與八戒。八戒托着鉢盂，駕起雲霧而去。那長老坐在路旁，等够多時，不見回來，可憐口乾舌苦難熬。有詩爲證。詩曰：

保神養氣謂之精，情性原來一稟形。心亂神昏諸病作，形衰精敗道元傾。三花不就空勞碌，四大蕭條枉費爭。土木無功金水絕，法身疏懶幾時成！

沙僧在旁，見三藏飢渴難忍，八戒又取水不來，只得穩了行囊，拴牢了白馬，道：「師父，你自在着，等我去催水來。」長老含泪無言，但點頭相答。沙僧急駕雲光，也向南山而去。

那師父獨煉自熬，困苦太甚。正在愴惶之際，忽聽得一聲響亮，唬得長老欠身看處，原來是孫行者跪在路旁，雙手捧着一個磁杯道：「師父，沒有老孫，你連水也不能够哩。這一杯好涼水，你且吃口水解渴，待我再去化齋。」長老道：「我不吃你的水！立地渴死，我當任命！不要你了！你去罷！」行者道：「無我你去不得西天也。」三藏道：「去得去不得，不幹你事！潑猢猻！祇管來纏我做甚！」那行者變了臉，發怒生嗔，喝罵長老道：「你這個狠心的潑禿，十分賤我！」輪鐵棒，丢了磁杯，望長老脊背上砑了一下。那長老昏暈在地，不能言語，被他把兩個青氈包袱，提在手中，駕筋斗雲，不知去向。

却說八戒托着鉢盂，祇奔山南坡下，忽見山凹之間，有一座草舍人家。原來在先看時，被山高遮住，未曾見得；今來到邊前，方知是個人家。呆子暗想道：「我若是這等醜嘴臉，决然怕我，枉勞神思，斷然化不得齋飯。須是變好！須是變好！」好呆子，捻着訣，念個咒，把身搖了七八搖，變作一個食癆病黃胖和尚，口裏哼哼唧唧的，挨近門前，叫道：「施主，廚中有剩飯，路上有飢人。貧僧是東土來，往西天取經的。我師父在路飢渴了，家中有鍋巴冷飯，千萬化些兒救口。」原來那家子男人不在，都去插秧種穀去了；祇有兩個女人在家，正才煮了午飯，盛起兩盆，却收拾送下田，鍋裏還有些飯與鍋巴，未曾盛了。那女人見他這等病容，却又說東土往西天去的話，祇恐他是病昏了胡說；又怕跌倒，死在門首。只得哄哄翕翕，將些剩飯鍋巴，滿滿的與了一鉢。呆子拿轉來，現了本像，徑回舊路。

正走間，聽得有人叫「八戒」。八戒抬頭看時，却是沙僧站在山崖上喊道：「這裏來！這裏來！」及下崖，迎至面前道：「這澗裏好清水不舀，你往那裏去的？」八戒笑道：「我到這裏，見山凹子有個人家，我去化了這一鉢乾飯來了。」沙僧道：「飯也用着，只是師父渴得緊了，怎得水去？」八戒道：「要水也容易；你將衣襟來兜着這飯，等我使鉢盂去舀水。」

二人歡歡喜喜。回至路上，祇見三藏面磕地，倒在塵埃；白馬撒繮，在路旁長嘶跑跳；行李擔不見踪影。慌得八戒跌脚捶胸，大呼小叫道：「不消講！不消講！這還是孫行者趕走的餘黨，來此打殺師父，搶了行李去了！」沙僧道：「且去把馬拴住！」祇叫：「怎麼好！怎麼好！這誠所謂半途而廢，中道而止也！」叫一聲：「師父！」滿眼拋珠，傷心痛哭。八戒道：「兄弟，且休哭。如今事已到此，取經之事，且莫說了。你看着師父的屍靈，等我把馬騎到那個府州縣鄉村店集賣幾兩銀子，買口棺木，把師父埋了，我兩個各尋道路散伙。」

沙僧實不忍捨，將唐僧扳轉身體，以臉溫臉，哭一聲：「苦命的師父！」祇見那長老口鼻中吐出熱氣，胸前溫暖。連叫：「八戒，你來！師父未傷命哩！」那呆子才近前扶起。長老蘇醒，呻吟一會，罵道：「好潑猢猻，打殺我也！」

沙僧、八戒問道：『是那個猢猻？』長老不言，只是嘆息。却討水吃了幾口，才説：『徒弟，你們剛去，那悟空更來纏我。是我堅執不收，他遂將我打了一棒，青氈包袱都搶去了。』八戒聽説，咬響口中牙，發起心頭火道：『叵耐這潑猴子，怎敢這般無禮！』教沙僧道：『你伏侍師父，等我到他家討包袱去！』沙僧道：『你且休發怒。我們扶師父到那山凹人家化些熱茶湯，將先化的飯熱熱，調理師父，再去尋他。』

八戒依言，把師父扶上馬，拿着鉢盂，兜着冷飯，直至那家門首。祇見那家止有個老婆子在家，忽見他們，慌忙躲過。沙僧合掌道：『老母親，我等是東土唐朝差往西天去者。師父有些不快，特拜府上，化口熱茶湯，與他吃飯。』那媽媽道：『適纔有個食癆病和尚，説是東土差來的，已化齋去了，又有個甚麼東土的。我没人在家，請別轉轉。』長老聞言，扶着八戒，下馬躬身道：『老婆婆，我弟子有三個徒弟，合意同心，保護我上天竺國大雷音拜佛求經。祇因我大徒弟——唤孫悟空——一生兇惡，不遵善道，是我逐回。不期他暗暗走來，着我背上打了一棒，將我行囊衣鉢搶去。如今要着一個徒弟尋他取討，因在那空路上不是坐處，特來老婆婆府上權安息一時。待討將行李來就行，決不敢久住。』那媽媽道：『剛纔一個食癆病黃胖和尚，他化齋去了，也説是東土往西天去的，怎麽又有一起？』八戒忍不住笑道：『就是我。因我生得嘴長耳大，恐你家害怕，不肯與齋，故變作那等模樣。你不信，我兄弟衣兜裏不是你家鍋巴飯？』那媽媽認得果是他與的飯，遂不拒他，留他們坐了。却燒了一罐熱茶，遞與沙僧泡飯。

沙僧即將冷飯泡了，遞與師父。師父吃了幾口，定性多時道：『那個去討行李？』八戒道：『我前年因師父趕他回去，我曾尋他一次，認得他花果山水簾洞。等我去！等我去！』長老道：『你去不得。那猢猻原與你不和，你又説話粗魯，或一言兩句之間，有些差池，他就要打你。着悟净去罷。』沙僧應承道：『我去，我去。』長老又吩咐沙僧道：『你到那裏，須看個頭勢。他若肯與你包袱，你就假謝謝拿來；若不肯，切莫與他争競，徑至南海

沙僧一駕雲離了東海，行經一晝夜，到了南海。正行時，早見落伽山不遠，急至前，低停雲霧觀看。好去處！果然是：

包乾之奥，括坤之區。會百川而浴日滔星，歸衆流而生風漾月。潮發騰凌大鯤化，波翻浩蕩巨鰲遊。水通西北海，浪合正東洋。四海相連同地脉，仙方洲島各仙宫。休言滿地蓬萊，且看普陀雲洞。好景致！山頭霞彩壯元精，岩下祥風漾月晶。紫竹林中飛孔雀，緑楊枝上語靈鸚。琪花瑶草年年秀，寶樹金蓮歲歲生。白鶴幾番朝頂上，素鸞數次到山亭。遊魚也解修真性，躍浪穿波聽講經。

沙僧徐步落伽山，玩看仙境。衹見木叉行者當面相迎道：「沙悟凈，你不保唐僧取經，却來此何幹？」沙僧作禮畢，道：「有一事特來朝見菩薩，煩爲引見引見。」木叉情知是尋行者，更不題起，即先進去對菩薩道：「外有唐僧的小徒弟沙悟凈朝拜。」孫行者在臺下聽見，笑道：「這定是唐僧有難，沙僧來請菩薩的。」菩薩即命木叉門外叫進。這沙僧倒身下拜。拜罷，抬頭正欲告訴前事，忽見孫行者站在旁邊，等不得説話，就掣降妖杖望行者劈臉便打。這行者更不回手，徹身躲過。沙僧口裏亂駡道：「我把你個犯十惡造反的潑猴！你又來影瞞菩薩哩！」菩薩喝道：「悟凈不要動手。有甚事先與我説。」

沙僧收了寶杖，再拜臺下，氣衝衝的對菩薩道：「這猴一路行兇，不可數計。前日在山坡下打殺兩個剪路的强人，師父怪他；不期晚間就宿在賊窩主家裏，又把一伙賊人盡情打死，又血淋淋提一個人頭來與師父看。師父唬得跌下馬來，駡了他幾句，趕他回來。分别之後，師父飢渴太甚，教八戒去尋水。久等不來，又着我去尋他。不期孫行者見我二人不在，復回來把師父打一鐵棍，將兩個青氈包袱搶去。我等回來，將師父救醒，特來他水簾洞尋他討包袱，不想他變了臉，不肯認我，將師父關文念了又念。我問他念了做甚，他説不保唐僧，他要自上西天取經，送上東土，算他的功果，立他爲祖，萬古傳揚。我又説：「没唐僧，那肯傳經與你？」他説他選了一個有道的真僧。及請出，果是一匹白馬，一個唐僧，後跟着八戒、沙僧。我道：「我便是沙和尚，那裏又有個沙和尚？」是我趕上前，打了他一寶杖，原來是個猴精。他就帥衆拿我，是我特來告請菩薩。不知他會使筋斗雲，預先到此處；又不知他將甚巧語花言，影瞞菩薩也。」菩薩道：「悟凈，不要賴人。悟空到此，今已四日。我更不曾放他回去，他那裏有另請唐僧，自去取經之意？」沙僧道：「見如今水簾洞有一個孫行者，怎敢欺誑？」菩薩道：「既如此，你休發急，教悟空與你同去花果山看看。是真難滅，是假易除。到那裏自見分曉。」這大聖聞言，即與沙僧辭了菩薩。這一去，到那：

花果山前分皂白，水簾洞口辨真邪。

畢竟不知如何分辨，且聽下回分解。

總批：

行者雖是假的，打死唐僧亦是快事。不然，這等腐和尚，不打死他如何？

篇中『直迷了一片善緣』，却是一句有眼的説話。不獨惡緣迷人，善緣亦是迷人。所以説好事不如無，學問以無善無惡爲極則也。若有善，便有不善了。所以説善緣迷人。惜知此者少耳。

天下無一事無假。唐僧、行者、八戒、沙僧、白馬，都假到矣。又何怪乎道學之假也。

菩薩處，將此情告訴，請菩薩去問他要。』沙僧一一聽從。向八戒道：『我今尋他去，你千萬莫僝僽，好生供養師父。這人家亦不可撒潑，恐他不肯供飯。我去就回。』八戒點頭道：『我理會得。但你去，討得討不得，次早回來，不要弄做「尖擔擔柴兩頭脱」也。』沙僧遂捻了訣，駕起雲光，直奔東勝神洲而去。真個是：

身在神飛不守捨，有爐無火怎燒丹。黄婆别主求金老，木母延師奈病顏。此去不知何日返，這回難量幾時還。五行生克情無順，祇待心猿復進關。

那沙僧在半空裏，行經三晝夜，方到了東洋大海。忽聞波浪之聲，低頭觀看，真個是：

黑霧漲天陰氣盛，滄溟銜日曉光寒。

他也無心觀玩，望仙山渡過瀛洲，向東方直抵花果山界。乘海風，踏水勢，又多時，却望見高峰排戟，峻壁懸屏。即至峰頭，按雲找路下山，尋水簾洞。步近前，祇聽得一派喧聲，見那山中無數猴精，滔滔亂嚷。沙僧又近前仔細再看，原來是孫行者高坐石臺之上，雙手扯着一張紙，朗朗的念道：

『東土大唐王皇帝李，駕前敕命御弟聖僧陳玄奘法師，上西方天竺國娑婆靈山大雷音寺專拜如來佛祖求經。朕因促病侵身，魂遊地府，幸有陽數臻長，感冥君放送回生，廣陳善會，修建度亡道場。盛蒙救苦救難觀世音菩薩金身出現，指示西方有佛有經，可度幽亡超脱，特着法師玄奘，遠歷千山，詢求經偈。倘過西邦諸國，不滅善緣，照牒施行。大唐貞觀一十三年秋吉日御前文牒。自别大國以來，經度諸邦，中途收得大徒弟孫悟空行者，二徒弟猪悟能八戒，三徒弟沙悟凈和尚。』

念了從頭又念。沙僧聽得是通關文牒，止不住近前厲聲高叫：『師兄，師父的關文你念他怎的？』那行者聞言，急抬頭，不認得是沙僧，叫：『拿來！拿來！』衆猴一齊圍繞，把沙僧拖拖扯扯，拿近前來，喝道：『你是何人，擅敢近吾仙洞？』沙僧見他變了臉，不肯相認，只得朝上行禮道：『上告師兄。前者實是師父性暴，錯怪了師兄，

把師兄咒了幾遍，逐趕回家。一則弟等未曾勸解，二來又爲師父飢渴去尋水化齋。不意師兄好意復來，又怪師父執法不留，遂把師父打倒，昏暈在地，將行李搶去。後救轉師父，特來拜兄。若不恨師父，還念昔日解脱之恩，同小弟將行李回見師父，共上西天，了此正果。倘怨恨之深，不肯同去，千萬把包袱賜弟，兄在深山，樂桑榆晚景，亦誠兩全其美也。』

行者聞言，呵呵冷笑道：『賢弟，此論甚不合我意。我打唐僧，搶行李，不因我不上西方，亦不因我愛居此地；我今熟讀了牒文，我自己上西方拜佛求經，送上東土，我獨成功，教那南贍部洲人立我爲祖，萬代傳名也。』沙僧笑道：『師兄言之欠當。自來没個「孫行者取經」之説。我佛如來造下三藏真經，原着觀音菩薩向東土尋取經人求經，要我們苦歷千山，詢求諸國，保護那取經人。菩薩曾言：取經人乃如來門生，號曰金蟬長老。祇因他不聽佛祖談經，貶下靈山，轉生東土，教他果正西方，復修大道。遇路上該有這般魔障，解脱我等三人，與他做護法。兄若不得唐僧去，那個佛祖肯傳經與你！却不是空勞一場神思也？』那行者道：『賢弟，你原來懞懂，但知其一，不知其二。諒你説你有唐僧，同我保護，我就没有唐僧？我這裏另選個有道的真僧在此，自去取經。老孫獨力扶持，有何不可！已選明日大走起身去矣。你不信，待我請來你看。』叫：『小的們，快請老師父出來。』果跑進去，牽出一匹白馬，請出一個唐三藏，跟着一個八戒，挑着行李；一個沙僧，拿着錫杖。

這沙僧見了大怒道：『我老沙行不更名，坐不改姓，那裏又有一個沙和尚！不要無禮！吃我一杖！』好沙僧，雙手舉降妖杖，把一個『假沙僧』劈頭一下打死，原來這是一個猴精。那行者惱了，輪金箍棒，帥衆猴，把沙僧圍了。沙僧東衝西撞，打出路口，縱雲霧逃生道：『這潑猴如此憊懶，我告菩薩去來！』那行者見沙僧打死一個猴精，把沙和尚逼得走了，他也不來追趕。回洞教小的們把打死的妖屍拖在一邊，剥了皮，取肉煎炒，將椰子酒、葡萄酒，同衆猴都吃了。另選一個會變化的妖猴，還變一個沙和尚，從新教道，要上西方不題。

第五十八回　二心攪亂大乾坤　一體難修真寂滅

這行者與沙僧拜辭了菩薩，縱起兩道祥光，離了南海。原來行者筋斗雲快，沙和尚仙雲覺遲，行者就要先行。沙僧扯住道：「大哥不必這等藏頭露尾，先去安根。待小弟與你一同走。」大聖本是良心，沙僧却有疑意。真個二人同駕雲而去。不多時，果見花果山。按下雲頭，二人洞外細看，果見一個行者，高坐石臺之上，與群猴飲酒作樂。模樣與大聖無异：也是黄髮金箍，金睛火眼；身穿也是綿布直裰，腰繫虎皮裙；手中也拿一條兒金箍鐵棒，足下也踏一雙麂皮靴；也是這等毛臉雷公嘴，朔腮別土星，查耳額顱闊，獠牙向外生。

這大聖怒發，一撒手，撇了沙和尚，掣鐵棒上前罵道：「你是何等妖邪，敢變我的相貌，敢佔我的兒孫，擅居吾仙洞，擅作這威福！」那行者見了，公然不答，也使鐵棒來迎。二行者在一處，果是不分真假。好打呀：

兩條棒，二猴精，這場相敵實非輕。都要護持唐御弟，各施功績立英名。真猴實受沙門教，假怪虛稱佛子情。蓋爲神通多變化，無真無假兩相平。一個是混元一氣齊天聖，一個是久煉千靈縮地精。這個是如意金箍棒，那個是隨心鐵桿兵。隔架遮攔無勝敗，撐持抵敵没輸贏。先前交手在洞外，少頃爭持起半空。

他兩個各踏雲光，跳鬥上九霄雲内。沙僧在旁，不敢下手，見他們戰此一場，誠然難認真假；欲待拔刀相助，又恐傷了真的。忍耐良久，且縱身跳下山崖，使降妖寶杖，打近水簾洞外，驚散群妖，掀翻石凳，把飲酒食肉的器皿，盡情打碎，尋他的青氈包袱，四下裏全然不見。原來他水簾洞本是一股瀑布飛泉，遮挂洞口，遠看似一條白布簾兒，近看乃是一股水脉，故曰水簾洞。沙僧不知進步來歷，故此難尋。即便縱雲，趕到九霄雲裏，輪着寶杖，又不好下手。

大聖道：「沙僧，你既助不得力，且回復師父，説我等這般這般，等老孫與此妖打上南海落伽山菩薩前辨個真假。」道罷，那行者也如此説。沙僧見兩個相貌、聲音，更無一毫差別，皂白難分，只得依言，撥轉雲頭，回復唐僧不題。

你看那兩個行者，且行且鬥，直來到南海，徑至落伽山，打打罵罵，喊聲不絶。早驚動護法諸天，即報入潮音洞裏道：「菩薩，果然兩個孫悟空打將來也。」那菩薩與木叉行者、善財童子、龍女降蓮臺出門喝道：「那孽畜那裏走！」這兩個遞相揪住道：「菩薩，這廝果然像弟子模樣。才自水簾洞打起，戰鬥多時，不分勝負。沙悟净肉眼愚蒙，不能分識，有力難助，是弟子教他回西路去回復師父，我與這廝打到寶山，借菩薩慧眼，與弟子認個真假，辨明邪正。」道罷，那行者也如此説一遍。衆諸天與菩薩都看良久，莫想能認。菩薩道：「且放了手，兩邊站下，等我再看。」果然撒手，兩邊站定。這邊説：「我是真的！」那邊説：「他是假的！」

菩薩喚木叉與善財上前，悄悄吩咐：「你一個幫住一個，等我暗念《緊箍兒咒》，看那個害疼的便是真，不疼的便是假。」他二人果各幫一個。菩薩暗念真言，兩個一齊喊疼，都抱着頭，地下打滚，只叫：「莫念！莫念！」菩薩不念，他兩個又一齊揪住，照舊嚷鬥。菩薩無計奈何，即令諸天、木叉，上前助力。衆神恐傷真的，亦不敢下手。菩薩叫聲「孫悟空」，兩個一齊答應。菩薩道：「你當年官拜『弼馬温』，大鬧天宮時，神將皆認得你；你且上界去分辨回話。」這大聖謝恩，那行者也謝恩。

二人扯扯拉拉，口裏不住的嚷鬥，徑至南天門外，慌得那廣目天王帥馬、趙、温、關四大天將，及把門大小衆神，各使兵器擋住道：「那裏走！此間可是爭鬥之處？」大聖道：「我因保護唐僧往西天取經，在路上打殺賊徒，那三藏趕我回去，我徑到普陀崖見觀音菩薩訴告，不想這妖精，幾時就變作我的模樣，打倒唐僧，搶去包袱。有沙僧至花果山尋討，祇見這妖精佔了我的巢穴。後到普陀崖告請菩薩，又見我侍立臺下，沙僧誑説是我駕筋斗雲，又先在菩薩處遮飾。菩薩却是個正明，不聽沙僧之言，命我同他到花果山看驗。原來這妖精果像老孫模樣。才自水簾洞打到普陀山見菩薩，菩薩也難識認，故打至此間，煩諸天眼力，與我認個真假。」道罷，那行者也似這般道般……説了一遍。衆天神看彀多時，也不能辨。他兩個吆喝道：「你們既不能認，讓開路，等我們去見玉帝！」

衆神搪抵不住，放開天門，直至靈霄寶殿。馬元帥同張、葛、許、邱四天師奏道：「下界有一般兩個孫悟空，

打進天門，口稱見主。』說不了，兩個直嚷將進來，唬得那玉帝即降立寶殿，問曰：『你兩個因甚事擅鬧天宮，嚷至朕前尋死！』大聖口稱：『萬歲！萬歲！臣今皈命，秉教沙門，再不敢欺心誑上；祇因這個妖精變作臣的模樣……』如此如彼，把前情備陳了一遍。『……指望與臣辨個真假！』那行者也如此陳了一遍。玉帝即傳旨宣托塔李天王，教：『把「照妖鏡」來照這廝誰真誰假，教他假滅真存。』天王即取鏡照住，請玉帝同衆神觀看。鏡中乃是兩個孫悟空的影子；金箍、衣服，毫髮不差。玉帝亦辨不出，趕出殿外。這大聖呵呵冷笑，那行者也哈哈歡喜，揪頭抹頸，復打出天門，墜落西方路上道：『我和你見師父去！我和你見師父去！』

却說那沙僧自花果山辭他兩個，又行了三晝夜，回至本莊，把前事對唐僧說了一遍。唐僧自家悔恨道：『當時祇說是孫悟空打我一棍，搶去包袱，豈知却是妖精假變的行者！』沙僧又告道：『這妖又假變一個長老，一匹白馬；又有一個八戒挑着我們包袱，又有一個變作是我。我忍不住惱怒，一杖打死，原是一個猴精。因此驚散，又到菩薩處訴告。菩薩着我與師兄又同去識認，那妖果與師兄一般模樣。我難助力，故先來回復師父。』三藏聞言，大驚失色。八戒哈哈大笑道：『好！好！好！應了這施主家婆婆之言了！他說有幾起取經的，這却不又是一起？』

那家子老老小小的，都來問沙僧道：『你這幾日往何處討盤纏去的？』沙僧笑道：『我往東勝神洲花果山尋大師兄取討行李，又到南海普陀山拜見觀音菩薩，却又到花果山，方纔轉回至此。』那老者又問：『往返有多少路程？』沙僧道：『約有二十餘萬里。』老者道：『爺爺呀，似這幾日，就走了這許多路，祇除是駕雲，方能夠得到！』八戒道：『不是駕雲，如何過海？』沙僧道：『我們那算得走路，若是我大師兄，祇消一二日，可往回也。』那家子聽言，都說是神仙。八戒道：『我們雖不是神仙，神仙還是我們的晚輩哩！』

正說間，祇聽半空中喧嘩人嚷。慌得都出來看，却是兩個行者打將來。八戒見了，忍不住手癢道：『等我去認認看。』好呆子，急縱身跳起，望空高叫道：『師兄莫嚷，我老猪來也！』那兩個一齊應道：『兄弟，來打妖精！來打妖精！』那家子又驚又喜道：『是幾位騰雲駕霧的羅漢歇在我家！就是發願齋僧的，也齋不着這等好人！』更不計較茶飯，愈加供養。又說：『這兩個行者只怕鬥出不好來，地覆天翻，作禍在那裏！』三藏見那老者當面是喜，背後是憂，即開言道：『老施主放心，莫生憂嘆。貧僧收伏了徒弟，去惡歸善，自然謝你。』那老者滿口回答道：『不敢！不敢！』沙僧道：『施主休講，師父可坐在這裏，等我和二哥去，一家扯一個來到你面前，你就念念那話兒，看那個害疼的就是真的，不疼的就是假的。』三藏道：『言之極當。』

沙僧果起在半空道：『二位住了手，我同你到師父面前辨個真假去。』這大聖放了手，那行者也放了手。沙僧攙住一個，叫道：『二哥，你也攙住一個。』果然攙住，落下雲頭，徑至草舍門外。三藏見了，就念《緊箍兒咒》。二人一齊叫苦道：『我們這等苦鬥，你還咒我怎的？莫念！莫念！』那長老本心慈善，遂住了口不念，却也不認得真假。他兩個挣脱手，依然又打。這大聖道：『兄弟們，保着師父，等我與他打到閻王前折辨去也！』那行者也如此說。二人抓抓掗掗，須臾，又不見了。

八戒道：『沙僧，你既到水簾洞，看見「假八戒」挑着行李，怎麽不搶將來？』沙僧道：『那妖精見我使寶杖打他「假沙僧」，他就亂圍上來要拿，是我顧性命走了。及告菩薩，與行者復至洞口，他兩個打在空中，是我去掀翻他的石凳，打散他的小妖，祇見一股瀑布泉水流，竟不知洞門開在何處，尋不着行李，所以空手回復師命也。』八戒道：『你原來不曉得。我前年請他去時，先在洞門外相見；後被我說泛了他，他就跳下，去洞裏換衣來時，我看見他將身往水裏一鑽。那一股瀑布水流，就是洞門。想必那怪將我們包袱收在那裏面也。』三藏道：『你既知此門，你可趁他都不在家，可先到他洞裏取出包袱，我們往西天去罷。他就來，我也不用他了。』八戒道：『我去。』沙僧說：『二哥，他那洞前有千數小猴，你一人恐弄他不過，反爲不美。』八戒笑道：『不怕！不怕！』急出門，縱着雲霧，徑上花果山尋取行李不題。

却說那兩個行者又打嚷到陰山背後，唬得那滿山鬼戰戰兢兢，藏藏躲躲。有先跑的，撞入陰司門裏，報上森羅寶殿道：『大王，背陰山上，有兩個齊天大聖打將來也！』慌得那第一殿秦廣王傳報與二殿楚江王、三殿宋帝王、四殿卞城王、五殿閻羅王、六殿平等王、七殿泰山王、八殿都市王、九殿仵官王、十殿轉輪王。一殿轉一殿，霎時間，十王會齊，又着人飛報與地藏王。盡在森羅殿上，點聚陰兵，等擒真假。衹聽得那强風滚滚，慘霧漫漫，二行者一翻一滚的，打至森羅殿下。

陰君近前擋住道：『大聖有何事，鬧我幽冥？』這大聖道：『我因保唐僧西天取經，路過西梁國，至一山，有强賊截劫我師，是老孫打死幾個，師父怪我，把我逐回。我隨到南海菩薩處訴告，不知那妖精怎麽就綽着口氣，假變作我的模樣，在半路上打倒師父，搶奪了行李。師弟沙僧，向我本山取討包袱，這妖假立師名，要往西天取經。沙僧逃遁至南海見菩薩，我正在側。他備說原因，菩薩又命我同他至花果山觀看，果被這厮佔了我巢穴。我與他争辨到菩薩處，其實相貌、言語等俱一般，菩薩也難辨真假。又與這厮打上天堂，衆神亦果難辨，因見我師。我師念《緊箍兒》試驗，與我一般疼痛。故此鬧至幽冥，望陰君與我查看生死簿，看「假行者」是何出身，快早追他魂魄，免教二心沌亂。』那怪亦如此說一遍。陰君聞言，即唤管簿判官一一從頭查勘，更無個「假行者」之名。再看毛蟲文簿，那猴子一百三十條已是孫大聖幼年得道之時，大鬧陰司，消死名一筆勾之，自後來凡是猴屬，盡無名號。查勘畢，當殿回報。陰君各執笏，對行者道：『大聖，幽冥處既無名號可查，你還到陽間去折辨。』

正説處，衹聽得地藏王菩薩道：『且住！且住！等我着諦聽與你聽個真假。』原來那諦聽是地藏菩薩經案下伏的一個獸名。他若伏在地下，一霎時，將四大部洲山川社稷，洞天福地之間，蠃蟲、鱗蟲、毛蟲、羽蟲、昆蟲、天仙、地仙、神仙、人仙、鬼仙可以照鑒善惡，察聽賢愚。那獸奉地藏鈞旨，就于森羅庭院之中，俯伏在地。須臾，抬起頭來，對地藏道：『怪名雖有，但不可當面説破，又不能助力擒他。』地藏道：『當面説出便怎麽？』諦聽道：『當面説出，恐妖精惡發，搔擾寶殿，致令陰府不安。』又問：『何爲不能助力擒拿？』諦聽道：『妖精神通，與孫大聖無二。幽冥之神，能有多少法力，故此不能擒拿。』地藏道：『似這般怎生祛除？』諦聽言：『佛法無邊。』地藏早已省悟。即對行者道：『你兩個形容如一，神通無二，若要辨明，須到雷音寺釋迦如來那裏，方得明白。』兩個一齊嚷道：『説的是！説的是！我和你西天佛祖之前折辨去！』那十殿陰君送出，謝了地藏，回上翠雲宫，着鬼使閉了幽冥關隘不題。

看那兩個行者，飛雲奔霧，打上西天。有詩爲證。詩曰：

人有二心生禍災，天涯海角致疑猜。欲思寶馬三公位，又憶金鑾一品臺。南徵北討無休歇，東擋西除未定哉。禪門須學無心訣，静養嬰兒結聖胎。

他兩個在那半空裏，扯扯拉拉，抓抓掗掗，且行且鬥。直嚷至大西天靈鷲仙山雷音寶剎之外。早見那四大菩薩、八大金剛、五百阿羅、三千揭諦、比丘尼、比丘僧、優婆塞、優婆夷者大聖衆，都到七寶蓮臺之下，各聽如來說法。那如來正講到這：

不有中有，不無中無。不色中色，不空中空。非有爲有，非無爲無。非色爲色，非空爲空。空即是空，色即是色。色無定色，色即是空。空無定空，空即是色。知空不空，知色不色。名爲照了，始達妙音。

概衆稽首皈依。流通誦讀之際，如來降天花普散繽紛，即離寶座，對大衆道：『汝等俱是一心，且看二心競鬥而來也。』

大衆舉目看之，果是兩個行者，吆天喝地，打至雷音勝境。慌得那八大金剛，上前擋住道：『汝等欲往那裏去？』這大聖道：『妖精變作我的模樣，欲至寶蓮臺下，煩如來爲我辨個虛實也。』

衆金剛抵擋不住，直嚷至臺下，跪于佛祖之前，拜告道：『弟子保護唐僧，來造寶山，求取真經，一路上煉魔縛怪，

不知費了多少精神。前至中途，偶遇强徒劫擄，委是弟子二次打傷幾人。師父怪我趕回，不容同拜如來金身。弟子無奈，只得投奔南海，見觀音訴苦。不期這個妖精，假變弟子聲音、相貌，將師父打倒，把行李搶去。師弟悟净尋至我山，被這妖假捏巧言，說有真僧取經之故。悟净脱身至南海，備説詳細。觀音知之，遂令弟子同悟净再至我山。因此，兩人比并真假，打至南海，又打到天宮，又曾打見唐僧，打見冥府，俱莫能辨認。故此大膽輕造，千乞大開方便之門，廣垂慈憫之念，與弟子辨明邪正，庶好保護唐僧親拜金身，取經回東土，永揚大教。」

大衆聽他兩張口一樣聲俱説一遍，衆亦莫辨；惟如來則通知之。正欲道破，忽見南下彩雲之間，來了觀音，參拜我佛。

我佛合掌道：「觀音尊者，你看那兩個行者，誰是真假？」菩薩道：「前日在弟子荒境，委不能辨。他又至天宮、地府，亦俱難認。特來拜告如來，千萬與他辨明辨明。」如來笑道：「汝等法力廣大，祇能普閲週天之事，不能遍識週天之物，亦不能廣會週天之種類也。」菩薩又請示週天種類。如來才道：「週天之内有五仙：乃天、地、神、人、鬼。有五蟲：乃贏、鱗、毛、羽、昆。這厮非天、非地、非神、非人、非鬼；亦非贏、非鱗、非毛、非羽、非昆。又有四猴混世，不入十類之種。」

菩薩道：「敢問是那四猴？」如來道：「第一是靈明石猴，通變化，識天時，知地利，移星换斗。第二是赤尻馬猴，曉陰陽，會人事，善出入，避死延生。第三是通臂猿猴，拿日月，縮千山，辨休咎，乾坤摩弄。第四是六耳獼猴，善聆音，能察理，知前後，萬物皆明。此四猴者，不入十類之種，不達兩間之名。我觀「假悟空」乃六耳獼猴也。此猴若立一處，能知千里外之事；凡人説話，亦能知之；故此善聆音，能察理，知前後，萬物皆明。——與真悟空同像同音者，六耳獼猴也。」

那獼猴聞得如來説出他的本像，膽戰心驚，急縱身，跳起來就走。如來見他走時，即令大衆下手。早有四菩薩、八金剛、五百阿羅、三千揭諦、比丘僧、比丘尼、優婆塞、優婆夷、觀音、木叉，一齊圍繞。孫大聖也要上前。如來道：「悟空休動手，待我與你擒他。」那獼猴毛骨悚然，料着難脱，即忙摇身一變，變作個蜜蜂兒，往上便飛。如來將金鉢盂撇起去，正蓋着那蜂兒，落下來。大衆不知，以爲走了。如來笑云：「大衆休言。妖精未走，見在我這鉢盂之下。」大衆一發上前，把鉢盂揭起，果然見了本像，是一個六耳獼猴。孫大聖忍不住，輪起鐵棒，劈頭一下打死，至今絶此一種。

如來不忍，道聲「善哉！善哉！」大聖道：「如來不該慈憫他。他打傷我師父，搶奪我包袱，依律問他個得財傷人，白晝搶奪。也該個斬罪哩！」如來道：「你自快去保護唐僧來此求經罷。」大聖叩頭謝道：「上告如來得知。那師父定是不要我，我此去，若不收留，却不又勞一番神思！望如來方便，把《鬆箍兒咒》念一念，褪下這個金箍，交還如來，放我還俗去罷。」如來道：「你休亂想，切莫放刁。我教觀音送你去，不怕他不收。好生保護他去，那時功成歸極樂，汝亦坐蓮臺。」

那觀音在旁聽説，即合掌謝了聖恩。領悟空，輒駕雲而去。隨後木叉行者、白鸚哥，一同趕上。不多時，到了中途草舍人家。沙和尚看見，急請師父拜門迎接。菩薩道：「唐僧，前日打你的，乃「假行者」六耳獼猴也。幸如來知識，已被悟空打死。你今須是收留悟空。一路上魔障未消，必得他保護你，才得到靈山，見佛取經。再休嗔怪。」三藏叩頭道：「謹遵教旨。」

正拜謝時，祇聽得正東上狂風滚滚，衆目視之，乃猪八戒揹着兩個包袱，駕風而至。呆子見了菩薩，倒身下拜道：「弟子前日别了師父至花果山水簾洞尋得包袱，果見一個「假唐僧」、「假八戒」，都被弟子打死，原是兩個猴身。却入裏，方尋着包袱。當時查點，一物不少。却駕風轉此。更不知兩行者下落如何。」菩薩把如來識怪之事，説了一遍。那呆子十分歡喜，稱謝不盡。師徒們拜謝了，菩薩回海，却都照舊合意同心，洗冤解怒。又謝了那村

舍人家，整束行囊、馬匹，找大路而西。正是：

中道分離亂五行，降妖聚會合元明。
神歸心捨禪方定，六識祛降丹自成。

畢竟這去，不知三藏幾時得面佛求經，且聽下回分解。

總批：

讀此因思昔人真猴似猴之謔，不覺失笑。〇昔人云：『一心可以幹萬事，兩心不可以幹一事。』此回便是他註脚。

又批：

天下祇有似者難辨，所以可惡。然畢竟似者有破敗，真者無破敗，似何益哉，似何益哉！

第五十九回　唐三藏路阻火焰山　孫行者一調芭蕉扇

若乾種性本來同，海納無窮。千思萬慮終成妄，般般色和融。有日功完行滿，圓明法性高隆。休教差別走西東，緊鎖牢韁。收來安放丹爐內，煉得金烏一樣紅。朗朗輝輝嬌艷，任教出入乘龍。

話表三藏遵菩薩教旨，收了行者，與八戒、沙僧剪斷二心，鎖韁猿馬，同心戮力，趕奔西天。說不盡光陰似箭，日月如梭。歷過了夏月炎天，却又值三秋霜景。但見那：

薄雲斷絕西風緊，鶴鳴遠岫霜林錦。光景正蒼涼，山長水更長。徵鴻來北塞，玄鳥歸南陌。客路怯孤單，衲衣容易寒。

師徒四衆，進前行處，漸覺熱氣蒸人。三藏勒馬道：『如今正是秋天，却怎返有熱氣？』八戒道：『原來不知。西方路上有個斯哈哩國，乃日落之處，俗呼爲「天盡頭」。若到申酉時，國王差人上城，擂鼓吹角，混雜海沸之聲。日乃太陽真火，落于西海之間，如火淬水，接聲滾沸；若無鼓角之聲混耳，即振殺城中小兒。此地熱氣蒸人，想必到日落之處也。』大聖聽說，忍不住笑道：『呆子莫亂談！若論斯哈哩國，正好早哩。似師父朝三暮二的，這等擔閣，就從小至老，老了又小，老小三生，也還不到。』八戒道：『哥啊，據你說，不是日落之處，爲何這等酷熱？』沙僧道：『想是天時不正，秋行夏令故也。』

他三個正都爭講，衹見那路旁有座莊院，乃是紅瓦蓋的房舍，紅磚砌的垣墻，紅油門扇，紅漆板榻，一片都是紅的。三藏下馬道：『悟空，你去那人家問個消息，看那炎熱之故何也。』

大聖收了金箍棒，整肅衣裳，扭捏作個斯文氣象，綽下大路，徑至門前觀看。那門裏忽然走出一個老者，但見他：

穿一領黃不黃、紅不紅的葛佈深衣；戴一頂青不青、皂不皂的篾絲涼帽。手中拄一根彎不彎、直不直、暴節竹杖；足下踏一雙新不新、舊不舊、拏靸鞝鞋。面似紅銅，鬚如白練。兩道壽眉遮碧眼，一張哈口露金牙。

那老者猛抬頭，看見行者，吃了一驚，拄着竹杖，喝道：『你是那裏來的怪人？在我這門首何幹？』行者答禮道：『老施主，休怕我。我不是甚麼怪人。貧僧是東土大唐欽差上西方求經者。師徒四人，適至寶方，見天氣蒸熱，一則不解其故，二來不知地名，特拜問指教一二。』那老者却纔放心，笑云：『長老勿罪。我老漢一時眼花，不識尊顏。』行者道：『不敢。』老者又問：『令師在那條路上？』行者道：『那南首大路上立的不是！』老者教：『請來，請來。』行者歡喜，把手一招，三藏即同八戒、沙僧，牽白馬，挑行李近前，都對老者作禮。

老者見三藏丰姿標緻，八戒、沙僧相貌奇稀，又驚又喜，只得請入裏坐，教小的們看茶，一壁廂辦飯。三藏聞言，起身稱謝道：『敢問公公：貴處遇秋，何返炎熱？』老者道：『敝地喚做火焰山。無春無秋，四季皆熱。』三藏道：『火焰山却在那邊？可阻西去之路？』老者道：『西方却去不得。那山離此有六十里遠，正是西方必由之路，却有八百里火焰，四周圍寸草不生。若過得山，就是銅腦蓋，鐵身軀，也要化成汁哩。』三藏聞言，大驚失色，不敢再問。

衹見門外一個少年男子，推一輛紅車兒，住在門旁，叫聲『賣糕！』大聖拔根毫毛，變個銅錢，問那人買糕。那人接了錢，不論好歹，揭開車兒上衣裹，熱氣騰騰，拿出一塊糕遞與行者。行者托在手中，好似火盆裏的灼炭，煤爐內的紅釘。你看他左手倒在右手，右手換在左手，衹道：『熱，熱，熱！難吃，難吃！』那男子笑道：『怕熱，莫來這裏。這裏是這等熱。』行者道：『你這漢子，好不明理。常言道：「不冷不熱，五穀不結。」他這等熱得很，你這糕粉，自何而來？』那人道：『若知糕粉米，敬求鐵扇仙。』行者道：『鐵扇仙怎的？』那人道：『鐵扇仙有柄「芭蕉扇」。求得來，一扇息火，二扇生風，三扇下雨，我們就佈種，及時收割，故得五穀養生；不然，誠寸草不能生也。』

行者聞言，急抽身走入裏面，將糕遞與三藏道：『師父放心，且莫隔年焦着，吃了糕，我與你說。』長老接糕在手，向本宅老者道：『公公請糕。』老者道：『我家的茶飯未奉，敢吃你糕？』行者笑道：『老人家，茶飯倒

不必賜。我問你：鐵扇仙在那裏住？」老者道：「你問他怎的？」行者道：「適纔那賣糕人說，此仙有柄「芭蕉扇」。求將來，一扇息火，二扇生風，三扇下雨，你這方佈種收割，才得五穀養生。我欲尋他討來扇息火焰山過去，且使這方依時收種，得安生也。」老者道：「固有此說，你們却無禮物，恐那聖賢不肯來也。」三藏道：「他要甚禮物？」老者道：「我這裏人家，十年拜求一度。四猪四羊，花紅表裏，异香時果，鷄鵝美酒，沐浴虔誠，拜到那仙山，請他出洞，至此施爲。」行者道：「那山坐落何處？唤甚地名？有幾多裏數？等我問他要扇子去。」老者道：「那山在西南方，名唤翠雲山。山中有一仙洞，名唤芭蕉洞。我這裏衆信人等去拜仙山，往回要走一月，計有一千四百五六十里。」行者笑道：「不打緊，就去就來。」那老者道：「且住，吃些茶飯，辦些乾糧，須得兩人做伴。那路上没有人家，又多狼虎，非一日可到。莫當耍子。」行者笑道：「不用，不用！我去也！」説一聲，忽然不見。那老者慌張道：「爺爺呀，原來是騰雲駕霧的神人也！」

且不說這家子供奉唐僧加倍。却説那行者霎時徑到翠雲山，按住祥光，正自找尋洞口，忽然聞得丁丁之聲，乃是山林内一個樵夫伐木。行者即趨步至前，又聞得他道：

「雲際依依認舊林，斷崖荒草路難尋。西山望見朝來雨，南澗歸時渡處深。」

行者近前作禮道：「樵哥，問訊了。」那樵子撇了柯斧，答禮道：「長老何往？」行者道：「敢問樵哥，這可是翠雲山？」樵子道：「正是。」行者道：「有個鐵扇仙的芭蕉洞，在何處？」樵子笑道：「這芭蕉洞雖有，却無個鐵扇仙，衹有個鐵扇公主，又名羅刹女。」行者道：「人言他有一柄芭蕉扇，能熄得火焰山，敢是他麽？」樵子道：「正是，正是。這聖賢有這件寶貝，善能熄火，保護那方人家，故此稱爲鐵扇仙。我這裏人家用不着他，衹知他叫做羅刹女，乃大力牛魔王妻也。」

行者聞言，大驚失色。心中暗想道：「又是冤家了！當年伏了紅孩兒，説是這廝養的。前在那解陽山破兒洞遇他叔子，尚且不肯與水，要作報仇之意；今又遇他父母，怎生借得這扇子耶？」樵子見行者沉思默慮，嗟嘆不已，便笑道：「長老，你出家人，有何憂疑？這條小路兒向東去，不上五六里，就是芭蕉洞。休得心焦。」行者道：「不瞞樵哥說。我是東土唐朝差往西天求經的唐僧大徒弟。前年在火雲洞，曾與羅刹之子紅孩兒有些言語，但恐羅刹懷仇不與，故生憂疑。」樵子道：「大丈夫鑒貌辨色，衹以求扇爲名，莫認往時之溲話，管情借得。」行者聞言，深深唱個大喏道：「謝樵哥教誨。我去也。」

遂別了樵夫，徑至芭蕉洞口。但見那兩扇門緊閉牢關，洞外風光秀麗。好去處！正是那：

山以石爲骨，石作土之精。煙霞含宿潤，苔蘚助新青。嵯峨勢聳欺蓬島，幽静花香若海瀛。幾樹喬松栖野鶴，數株衰柳語山鶯。誠然是千年古蹟，萬載仙踪。碧梧鳴彩鳳，活水隱蒼龍。曲徑蕈蘿垂挂，石梯藤葛攀籠。猿嘯翠岩忻月上，鳥啼高樹喜晴空。兩林竹蔭凉如雨，一徑花濃没綉絨。時見白雲來遠岫，略無定體漫隨風。

行者上前叫：「牛大哥，開門！開門！」呀的一聲，洞門開了，裏邊走出一個毛兒女，手中提着花籃，肩上擔着鋤子，真個是：

一身藍縷無妝飾，滿面精神有道心。

行者上前迎着，合掌道：「女童，累你轉報公主一聲。我本是取經的和尚，在西方路上，難過火焰山，特來拜借芭蕉扇一用。」那毛女道：「你是那寺裏和尚？叫甚名字？我好與你通報。」行者道：「我是東土來的，叫做孫悟空和尚。」

那毛女即便回身，轉于洞内，對羅刹跪下道：「奶奶，洞門外有個東土來的孫悟空和尚，要見奶奶，拜求芭蕉扇，過火焰山一用。」那羅刹聽見「孫悟空」三字，便似撮鹽入火，火上澆油；骨都都紅生臉上，惡狠狠怒發心頭。口中駡道：「這潑猴！今日來了！」叫：「丫鬟，取披挂，拿兵器來！」隨即取了披挂，拿兩口青鋒寶劍，整束出來。

行者在洞外閃過，偷看怎生打扮。衹見他：

頭裹團花手帕，身穿納錦雲袍。腰間雙束虎筋絛，微露綉裙偏綃。鳳嘴弓鞋三寸，龍鬚膝褲金銷。手提寶劍怒聲高，兇比月婆容貌。

那羅剎出門，高叫道：「孫悟空何在？」行者上前，躬身施禮道：「嫂嫂，老孫在此奉揖。」羅剎啐的一聲道：「誰是你的嫂嫂！那個要你奉揖！」行者道：「尊府牛魔王，當初曾與老孫結義，乃七兄弟之親。今聞公主是牛大哥令正，安得不以嫂嫂稱之！」羅剎道：「你這潑猴！既有兄弟之親，如何坑陷我子？」行者佯問道：「令郎是誰？」羅剎道：「我兒是號山枯松澗火雲洞聖嬰大王紅孩兒，被你傾了。我們正没處尋你報仇，你今上門納命，我肯饒你！」行者滿臉陪笑道：「嫂嫂原來不察理，錯怪了老孫。你令郎因是捉了師父，要蒸要煮，幸虧了觀音菩薩收他去，救出我師。他如今現在菩薩處做善財童子，實受了菩薩正果，不生不滅，不垢不净，與天地同壽，日月同庚。你倒不謝老孫保命之恩，返怪老孫，是何道理！」羅剎道：「你這個巧嘴的潑猴！我那兒雖不傷命，再怎生得到我的跟前，幾時能見一面？」行者笑道：「嫂嫂要見令郎，有何難處？你且把扇子借我，扇息了火，送我師父過去，我就到南海菩薩處請他來見你，就送扇子還你，有何不可！那時節，你看他可曾損傷一毫。如有些須之傷，你也怪得有理；如比舊時標致，還當謝我。」

羅剎道：「潑猴！少要饒舌！伸過頭來，等我砍上幾劍！若受得疼痛，就借扇子與你；若忍耐不得，教你早見閻君！」行者叉手向前，笑道：「嫂嫂切莫多言。老孫伸着光頭，任尊意砍上多少，但没氣力便罷。是必借扇子用用。」那羅剎不容分説，雙手輪劍，照行者頭上乒乒乓乓，砍有十數下，這行者全不認真。羅剎害怕，回頭要走。行者道：「嫂嫂，那裏去？快借我使使！」那羅剎道：「我的寶貝原不輕借。」行者道：「既不肯借，吃你老叔一棒！」

好猴王，一隻手扯住，一隻手去耳内掣出棒來，幌一幌，有碗來粗細。那羅剎掙脱手，舉劍來迎。行者隨又輪棒便打。兩個在翠雲山前，不論親情，却衹講仇隙。這一場好殺：

裙釵本是修成怪，爲子懷仇恨潑猴。行者雖然生狠怒，因師路阻讓娥流。先言拜借芭蕉扇，不展驍雄耐性柔。羅剎無知輪劍砍，猴王有意説親由。女流怎與男兒鬥，到底男剛壓女流。這個金箍鐵棒多兇猛，那個霜刃青鋒甚緊稠。劈面打，照頭丟，恨苦相持不罷休。左擋右遮施武藝，前迎後架騁奇謀。却纔鬥到沉酣處，不覺西方墜日頭。羅剎忙將真扇子，一扇揮動鬼神愁！

那羅剎女與行者相持到晚，見行者棒重，却又解數周密，料鬥他不過，即便取出芭蕉扇，幌一幌，一扇陰風，把行者搧得無影無形，莫想收留得住。這羅剎得勝回歸。

那大聖飄飄蕩蕩，左沉不能落地，右墜不得存身。就如旋風翻敗葉，流水淌殘花。滚了一夜，直至天明，方纔落在一座山上，雙手抱住一塊峰石。定性良久，仔細觀看，却纔認得是小須彌山。大聖長嘆一聲道：「好利害婦人！怎麽就把老孫送到這裏來了？我當年曾記得在此處告求靈吉菩薩降黄風怪救我師父。那黄風嶺至此直南上有三千餘裏，今在西路轉來，乃東南方隅，不知有幾萬里。等我下去問靈吉菩薩一個消息，好回舊路。」

正躊躇間，又聽得鐘聲響亮，急下山坡，徑至禪院。那門前道人認得行者的形容，即入裏面報道：「前年來請菩薩去降黄風怪的那個毛臉大聖又來了。」

菩薩知是悟空，連忙下寶座相迎，入内施禮道：「恭喜！取經來耶？」悟空答道：「正好未到！早哩，早哩！」靈吉道：「既未曾得到雷音，何以回顧荒山？」行者道：「自上年蒙盛情降了黄風怪，一路上，不知歷過多少苦楚。今到火焰山，不能前進，詢問土人，説有個鐵扇仙芭蕉扇，搧得火滅，老孫特去尋訪。原來那仙是牛魔王的妻，紅孩兒的母。他説我把他兒子做了觀音菩薩的童子，不得常見，跟我爲仇，不肯借扇，與我爭鬥。他見我的棒重難撑，

遂將扇子把我一搧，搧得我悠悠蕩蕩，直至于此，方纔落住。故此輕造禪院，問個歸路。此處到火焰山，不知有多少裏數？』靈吉笑道：『那婦人喚名羅刹女，又叫做鐵扇公主。他的那芭蕉扇本是昆侖山後，自混沌開闢以來，天地産成的一個靈寶，乃太陰之精葉，故能滅火氣。假若扇着人，要飄八萬四千里，方息陰風。我這山到火焰山，衹有五萬餘裏。此還是大聖有留雲之能，故止住了。若是凡人，正好不得住也。』行者道：『利害！利害！我師父却怎生得度那方？』靈吉道：『大聖放心。此一來，也是唐僧的緣法，合教大聖成功。』行者道：『怎見成功？』靈吉道：『我當年受如來教旨，賜我一粒「定風丹」，一柄「飛龍杖」。飛龍杖已降了風魔。這定風丹尚未曾見用，如今送了大聖，管教那廝搧你不動，你却要了扇子，搧息火，却不就立此功也！』行者低頭作禮，感謝不盡。那菩薩即于衣袖中取出一個錦袋兒，將那一粒定風丹與行者安在衣領裏邊，將針綫緊緊縫了。送行者出門道：『不及留款。往西北上去，就是羅刹的山場也。』

行者辭了靈吉，駕筋斗雲，徑返翠雲山，頃刻而至。使鐵棒打着洞門叫道：『開門！開門！老孫來借扇子使使哩！』慌得那門裏女童即忙來報：『奶奶，借扇子的又來了！』羅刹聞言，心中悚懼道：『這潑猴真有本事！我的寶貝，搧着人，要去八萬四千里，方能停止；他怎麼才吹去就回來也？這番等我一連搧他兩三扇，教他找不着歸路！』

急縱身，結束整齊，雙手提劍，走出門來道：『孫行者！你不怕我，又來尋死！』行者笑道：『嫂嫂勿得慳吝，是必借我使使。保得唐僧過山，就送還你。我是個志誠有餘的君子，不是那借物不還的小人。』羅刹又罵道：『潑猢猻！好没道理，没分曉！奪子之仇，尚未報得；借扇之意，豈得如心！你不要走！吃我老娘一劍！』大聖公然不懼，使鐵棒劈手相迎。他兩個往往來來，戰經五七回合，羅刹女手軟難輪，孫行者身强善敵。他見事勢不諧，即取扇子，望行者搧了一扇，行者巍然不動。行者收了鐵棒，笑吟吟的道：『這番不比那番！任你怎麼搧來，老

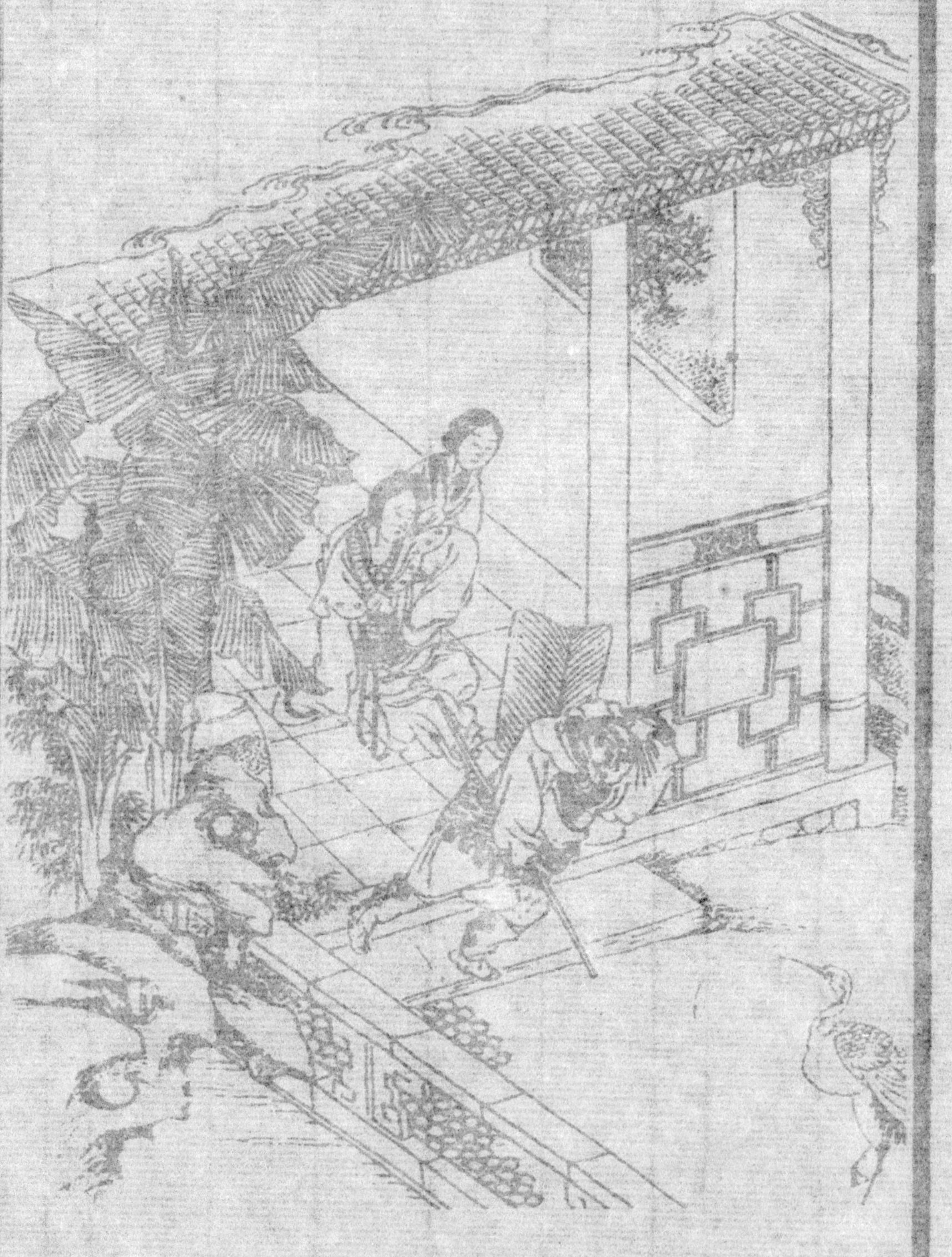

孫若動一動，就不算漢子！」那羅刹又搧兩搧，果然不動。羅刹慌了，急收寶貝，轉回走入洞裏，將門緊緊關上。

行者見他閉了門，却就弄個手段，拆開衣領，把定風丹噙在口中，摇身一變，變作一個蟭蟟蟲兒，從他門隙處鑽進。衹見羅刹叫道：「渴了！渴了！快拿茶來！」近侍女童，即將香茶一壺，沙沙的滿斟一碗，沖起茶沫漕漕。行者見了歡喜，嘤的一翅，飛在茶沫之下。

那羅刹渴極，接過茶，兩三氣都喝了。行者已到他肚腹之內，現原身厲聲高叫道：「嫂嫂，借扇子我使使！」羅刹大驚失色，叫：「小的們，關了前門否？」俱說：「關了。」他又說：「既關了門，孫行者如何在家裏叫唤？」女童道：「在你身上叫哩。」羅刹道：「孫行者，你在那裏弄術哩？」行者道：「老孫一生不會弄術，都是些真手段，實本事，已在尊嫂尊腹之內耍子，已見其肺肝矣。我知你也飢渴了，我先送你個坐碗兒解渴！」却就把脚往下一登。那羅刹小腹之中，疼痛難禁，坐于地下叫苦。行者道：「嫂嫂休得推辭，我再送你個點心充飢！」又把頭往上一頂。那羅刹心痛難禁，衹在地上打滚，疼得他面黄唇白，衹叫「孫叔叔饒命！」

行者却纔收了手脚道：「你才認得叔叔麼？我看牛大哥情上，且饒你性命。快將扇子拿來我使使。」羅刹道：「叔叔，有扇！有扇！你出來拿了去！」行者道：「拿扇子我看了出來。」羅刹即叫女童拿一柄芭蕉扇，執在旁邊。行者探到喉嚨之上見了道：「嫂嫂，我既饒你性命，不在腰肋之下搠個窟窿出來，還自口出。你把口張三張兒。」那羅刹果張開口。行者還作個蟭蟟蟲，先飛出來，丁在芭蕉扇上。那羅刹不知，連張三次，叫：「叔叔出來罷。」行者化原身，拿了扇子，叫道：「我在此間不是？謝借了！謝借了！」拽開步，往前便走。小的們連忙開了門，放他出洞。

這大聖撥轉雲頭，徑回東路。霎時按落雲頭，立在紅磚壁下。八戒見了歡喜道：「師父，師兄來了！來了！」三藏即與本莊老者同沙僧出門接着，同至舍內。把芭蕉扇靠在旁邊道：「老官兒，可是這個扇子？」老者道：「正是！正是！」唐僧喜道：「賢徒有莫大之功。求此寶貝，甚勞苦了。」行者道：「勞苦倒也不說。那鐵扇仙，你道是誰？那厮原來是牛魔王的妻，紅孩兒的母，名唤羅刹女，又唤鐵扇公主。我尋到洞外借扇，他就與我講起仇隙，把我砍了幾劍。是我使棒嚇他，他就把扇子扇了我一下，飄飄蕩蕩，直颳到小須彌山。幸見靈吉菩薩，送了我一粒定風丹，指與歸路，復至翠雲山。又見羅刹女，羅刹女又使扇子，搧我不動，他就回洞。是老孫變作一個蟭蟟蟲，飛入洞去。那厮正討茶吃，是我又鑽在茶沫之下，到他肚裏，做起手脚。他疼痛難禁，不住口的叫我做叔叔饒命，情願將扇借與我，我却饒了他，拿將扇來。待過了火焰山，仍送還他。」三藏聞言，感謝不盡。師徒們俱拜辭老者。

一路西來，約行有四十里遠近，漸漸酷熱蒸人。沙僧衹叫：「脚底烙得慌！」八戒又道：「爪子燙得痛！」馬比尋常又快。衹因地熱難停，十分難進。行者道：「師父且請下馬。兄弟們莫走。等我搧息了火，待風雨之後，地土冷些，再過山去。」行者果舉扇，徑至火邊，盡力一扇那山上火光烘烘騰起；再一扇，更着百倍；又一扇，那火足有千丈之高，漸漸燒着身體。行者急回，已將兩股毫毛燒淨，徑跑至唐僧面前叫：「快回去，快回去！火來了，火來了！」

那師父爬上馬，與八戒、沙僧，復東來有二十餘裏，方纔歇下，道：「悟空，如何了呀！」行者丢下扇子道：「不停當！不停當！被那厮哄了！」三藏聽說，愁促眉尖，悶添心上，止不住兩泪交流，衹道：「怎生是好！」八戒道：「哥哥，你急急忙忙叫回去是怎麽說？」行者道：「我將扇子搧了一下，火光烘烘；第二扇，火氣愈盛；第三扇，火頭飛有千丈之高。若是跑得不快，把毫毛都燒盡矣。」八戒笑道：「你常說雷打不傷，火燒不損，如今何又怕火？」行者道：「你這呆子，全不知事！那時節用心防備，故此不傷；今日衹爲搧息火光，不曾捻避火訣，又未使護身法，所以把兩股毫毛燒了。」沙僧道：「似這般火盛，無路通西，怎生是好？」八戒道：「衹揀無火處走便罷。」三藏道：「那方無火？」八戒道：「東方、南方、北方，俱無火。」又問：「那方有經？」八戒道：「西方有經。」三藏道：

「我衹欲往有經處去哩！」沙僧道：「有經處有火，無火處無經，誠是進退兩難！」

師徒們正自胡談亂講，衹聽得有人叫道：「大聖不須煩惱，且來吃些齋飯再議。」四衆回看時，見一老人，身披飄風氅，頭頂偃月冠，手持龍頭杖，足踏鐵靿靴，後帶着一個雕嘴魚腮鬼，鬼頭上頂着一個銅盆，盆内有些蒸餅糕糜，黄糧米飯，在于西路下躬身道：「我本是火焰山土地。知大聖保護聖僧，不能前進，特獻一齋。」行者道：「吃齋小可，這火光幾時滅得，讓我師父過去？」土地道：「要滅火光，須求羅刹女借芭蕉扇。」行者去路旁拾起扇子道：「這不是？那火光越搧越着，何也？」土地看了，笑道：「此扇不是真的，被他哄了。」行者道：「如何方得真的？」那土地又控背躬身，微微笑道：「若還要借真蕉扇，須是尋求大力王。」

畢竟不知大力王有甚緣故，且聽下回分解。

總批：

羅刹女遺焰至今尚在。或問在何處，曰：遍地都是。只是男子不動火，他自然滅熄了。○這婦人遍能殺火，所以和尚只得求他。

第六十回 牛魔王罷戰赴華筵 孫行者二調芭蕉扇

土地説：「大力王即牛魔王也。」行者道：「這山本是牛魔王放的火，假名火焰山？」土地道：「不是，不是。大聖若肯赦小神之罪，方敢直言。」行者道：「你有何罪？直説無妨。」土地道：「這火原是大聖放的。」行者怒道：「我在那裏，你這等亂談！我可是放火之輩？」土地道：「是你也認不得我了。此間原無這座山，因大聖五百年前，大鬧天宮時，被顯聖擒了，壓赴老君，將大聖安于八卦爐内，煅煉之後開鼎，被你蹬倒丹爐，落了幾個磚來，内有餘火，到此處化爲火焰山。我本是兜率宫守爐的道人。當被老君怪我失守，降下此間，就做了火焰山土地也。」猪八戒聞言，恨道：「怪道你這等打扮！原來是道士變的土地！」

行者半信不信道：「你且説，早尋大力王何故？」土地道：「大力王乃羅刹女丈夫。他這向撇了羅刹，現在積雷山摩雲洞。有個萬歲狐王。那狐王死了，遺下一個女兒，叫做玉面公主。那公主有百萬家私，無人掌管；二年前，訪着牛魔王神通廣大，情願倒陪家私，招贅爲夫。那牛王弃了羅刹，久不回顧。若大聖尋着牛王，拜求來此，方借得真扇。一則扇息火焰，可保師父前進；二來永除火患，可保此地生靈；三者赦我歸天，回繳老君法旨。」行者道：「積雷山坐落何處？到彼有多少程途？」土地道：「在正南方。此間到彼，有三千餘裏。」行者聞言，即吩咐沙僧、八戒保護師父。又教土地，陪伴勿回。隨即忽的一聲，渺然不見。

那裏消半個時辰，早見一座高山凌漢。按落雲頭，停立巔峰之上觀看，真是好山：

高不高，頂摩碧漢；大不大，根扎黄泉。山前日暖，嶺後風寒。山前日暖，有三冬草木無知；嶺後風寒，見九夏冰霜不化。龍潭接澗水長流，虎穴依崖花放早。水流千派似飛瓊，花放一心如佈錦。灣環嶺上灣環樹，扢扠石外扢扠松。真個是，高的山，峻的嶺，陡的崖，深的澗，香的花，美的果，紅的藤，紫的竹，青的松，翠的柳：八節四時顏不改，千年萬古色如龍。

大聖看够多時，步下尖峰，入深山，找尋路徑。正自没個消息，忽見松陰下，有一女子，手折了一枝香蘭，裊裊娜娜而來。大聖閃在怪石之旁，定睛觀看，那女子怎生模樣：

嬌嬌傾國色，緩緩步移蓮。貌若王嬙，顏如楚女。如花解語，似玉生香。高髻堆青鼆碧鴉，雙睛蘸緑横秋水。湘裙半露弓鞋小，翠袖微舒粉腕長。説甚麽暮雨朝雲，真個是朱唇皓齒。錦江滑膩蛾眉秀，賽過文君與薛濤。

那女子漸漸走近石邊，大聖躬身施禮，緩緩而言曰：『女菩薩何往？』那女子未曾觀看，聽得叫問，却自抬頭；忽見大聖的相貌醜陋，老大心驚，欲退難退，欲行難行，只得戰兢兢，勉强答道：『你是何方來者？敢在此間問誰？』大聖沉思道：『我若説出取經求扇之事，恐這廝與牛王有親，——且衹以假親託意，來請魔王之言而答方可。』那女子見他不語，變了顏色，怒聲喝道：『你是何人，敢來問我！』大聖躬身陪笑道：『我是翠雲山來的，初到貴處，不知路徑。敢問菩薩，此間可是積雷山？』那女子道：『正是。』大聖道：『有個摩雲洞，坐落何處？』那女子道：『你尋那洞做甚？』大聖道：『我是翠雲山芭蕉洞鐵扇公主央來請牛魔王的。』

那女子一聽鐵扇公主請牛魔王之言，心中大怒，徹耳根子通紅，潑口駡道：『這賤婢，着實無知！牛王自到我家，未及二載，也不知送了他多少珠翠金銀，綾羅緞疋；年供柴，月供米，自自在在受用，還不識羞，又來請他怎的！』大聖聞言，情知是玉面公主，故意子掣出鐵棒大喝一聲道：『你這潑賤，將家私買住牛王，誠然是陪錢嫁漢！你倒不羞，却敢駡誰！』那女子見了，唬得魄散魂飛，没好步亂躧金蓮；戰兢兢回頭便走。這大聖吆吆喝喝，隨後相跟。原來穿過松陰，就是摩雲洞口。女子跑進去，撲的把門關了。大聖却收了鐵棒，咳咳停步看時，好所在：

樹林森密，崖削崚嶒。薜蘿陰冉冉，蘭蕙味馨馨。流泉漱玉穿修竹，巧石知機帶落英。煙霞籠遠岫，日月照雲屏。龍吟虎嘯，鶴唳鶯啼。一片清幽真可愛，琪花瑶草景常明。不亞天臺仙洞，勝如海上蓬瀛。

且不言行者這裏觀看景致。却説那女子跑得粉汗淋淋，唬得蘭心吸吸，徑入書房裏面。原來牛魔王正在那裏

静玩丹書。這女子没好氣倒在懷裏，抓耳撓腮，放聲大哭。牛王滿面陪笑道：『美人，休得煩惱。有甚話説？』那女子跳天索地，口中駡道：『潑魔害殺我也！』牛王笑道：『你爲甚事駡我？』女子道：『我因父母無依，招你護身養命。江湖中説你是條好漢，你原來是個懼内的庸夫！』牛王聞説，將女子抱住道：『美人，我有那些不是處，你且慢慢説來，我與你陪禮。』女子道：『適纔我在洞外閑步花陰，折蘭采蕙，忽有一個毛臉雷公嘴的和尚，猛地前來施禮，把我嚇了個呆掙。及定性問是何人，他説是鐵扇公主央他來請牛魔王的。被我説了兩句，他倒駡了我一場，將一根棍子，趕着我打。若不是走得快些，幾乎被他打死！這不是招你爲禍？害殺我也！』牛王聞言，却與他整容陪禮。温存良久，女子方纔息氣。魔王却發狠道：『美人在上，不敢相瞞。那芭蕉洞雖是僻静，却清幽自在。我山妻自幼修持，也是個得道的女仙，却是家門嚴謹，内無一尺之童，焉得有雷公嘴的男子央來，這想是那裏來的怪妖，或者假綽名聲，至此訪我。等我出去看看。』

好魔王，拽開步，出了書房；上大廳取了披挂，結束了。拿了一條混鐵棍，出門高叫道：『是誰人在我這裏無狀？』行者在旁，見他那模樣，與五百年前又大不同。衹見：

頭上戴一頂水磨銀亮熟鐵盔；身上貫一副絨穿錦綉黄金甲；足下踏一雙捲尖粉底麂皮靴；腰間束一條攢絲三股獅蠻帶。一雙眼光如明鏡，兩道眉艷似紅霓。口若血盆，齒排銅板。吼聲響震山神怕，行動威風惡鬼慌。四海有名稱混世，西方大力號魔王。

這大聖整衣上前，深深的唱個大喏道：『長兄，還認得小弟麽？』牛王答禮道：『你是齊天大聖孫悟空麽？』大聖道：『正是，正是，一向久别未拜。適纔到此問一女子，方得見兄。丰采果勝常，真可賀也！』牛王喝道：『且休巧舌！我聞你鬧了天宫，被佛祖降壓在五行山下，近解脱天灾，保護唐僧西天見佛求經，怎麽在號山枯松澗火雲洞把我小兒牛聖嬰害了？正在這裏惱你，你却怎麽又來尋我？』大聖作禮道：『長兄勿得誤怪小弟。當時令郎

捉住吾師，要食其肉，小弟近他不得，幸觀音菩薩欲救我師，勸他歸正。現今做了善財童子，比兄長還高，享極樂之門堂，受逍遥之永壽，有何不可，返怪我耶？」牛王罵道：「這個乖嘴的猢猻！害子之情，被你説過；你才欺我愛妾，打上我門何也？」大聖笑道：「我因拜謁長兄不見，向那女子拜問，不知就是二嫂嫂；因他罵了我幾句，是小弟一時粗鹵，驚了嫂嫂。望長兄寬恕寬恕！」牛王道：「既如此説，我看故舊之情，饒你去罷。」

大聖道：「既蒙寬恩，感謝不盡；但尚有一事奉瀆，萬望周濟周濟。」牛王罵道：「這猢猻不識起倒！饒了你，倒還不走，反來纏我！甚麽周濟周濟！」大聖道：「實不瞞長兄。小弟因保唐僧西進，路阻火焰山，不能前進。詢問土人，知尊嫂羅刹女有一柄芭蕉扇，欲求一用。昨到舊府，奉拜嫂嫂，嫂嫂堅執不借，是以特求長兄。望兄長開天地之心，同小弟到大嫂處一行，千萬借扇扇滅火焰，保得唐僧過山，即時完璧。」

牛王聞言，心如火發。咬響鋼牙罵道：「你説你不無禮，你原來是借扇之故！一定先欺我山妻，山妻想是不肯，故來尋我！且又趕我愛妾！常言道：「朋友妻，不可欺；朋友妾，不可滅。」你既欺我妻，又滅我妾，多大無禮？上來吃我一棍！」大聖道：「哥要説打，弟也不懼。但求寶貝，是我真心。萬乞借我使使！」牛王道：「你若三合敵得我，我着山妻借你；如敵不過，打死你，與我雪恨！」大聖道：「哥説得是。小弟這一向疏懶，不曾與兄相會，不知這幾年武藝比昔日如何，我兄弟們請演演棍看。」這牛王那容分説，掣混鐵棍，劈頭就打。這大聖持金箍棒，隨手相迎。兩個這場好鬥：

金箍棒，混鐵棍，變臉不以朋友論。那個説：「正怪你這猢猻害子情！」這個説：「你令郎已得道休嗔恨！」
那個説：「你無知怎敢上我門？」這個説：「我有因特地來相問。」一個要求扇子保唐僧，一個不借芭蕉忒鄙吝。
語去言來失舊情，舉家無義皆生忿。牛王棍起賽蛟龍，大聖棒迎神鬼遁。初時爭鬥在山前，後來齊駕祥雲進。半
空之内顯神通，五彩光中施妙運。兩條棍響振天關，不見輸贏皆傍寸。

這大聖與那牛王鬥經百十回合，不分勝負。正在難解難分之際，祇聽得山峰上有人叫道：「牛爺爺，我大王多多拜上，幸賜早臨，好安座也。」牛王聞説，使混鐵棍支住金箍棒，叫道：「猢猻，你且住了，等我去一個朋友家赴會來者！」

言畢，按下雲頭，徑至洞裏。對玉面公主道：「美人，才那雷公嘴的男子乃孫悟空猢猻，被我一頓棍打走了，再不敢來。你放心耍子。我到一個朋友處吃酒去也。」他才卸了盔甲，穿一領鴉青剪絨襖子，走出門，跨上『辟水金睛獸』，着小的們看守門庭，半雲半霧，一直向西北方而去。

大聖在高峰上看着，心中暗想道：「這老牛不知又結識了甚麽朋友，往那裏去赴會。等老孫跟他走走。」好行者，將身幌一幌，變作一陣清風趕上，隨着同走。不多時，到了一座山中，那牛王寂然不見。大聖聚了原身，入山尋看，那山中有一面清水深潭，潭邊有一座石碣，碣上有六個大字，乃『亂石山碧波潭』。大聖暗想道：「老牛斷然下水去了。水底之精，若不是蛟精，必是龍精、魚精，或是龜鱉黿鼉之精。等老孫也下去看看。」

好大聖，捻着訣，念個咒語，摇身一變，變作一個螃蟹，不大不小的，有三十六斤重。撲的跳在水中，徑沉潭底。忽見一座玲瓏剔透的牌樓，樓下拴着個辟水金睛獸。進牌樓裏面，却就没水。大聖爬進去，仔細看時，祇見那壁廂一派音樂之聲，但見：

朱宫貝闕，與世不殊。黄金爲屋瓦，白玉作門樞。屏開玳瑁甲，檻砌珊瑚珠。祥雲瑞藹輝蓮座，上接三光下八衢。
非是天宫并海藏，果然此處賽蓬壺。高堂設宴羅賓主，大小官員冠冕珠。忙呼玉女捧牙槃，催喚仙娥調律吕。長鯨鳴，
巨蟹舞，鱉吹笙，鼉擊鼓，驪頷之珠照樽俎。鳥篆之文列翠屏，蝦鬚之簾挂廊廡。八音迭奏雜仙韶，宫商響徹遏
雲霄。青頭鱸妓撫瑶瑟，紅眼馬郎品玉簫。鱖婆頂獻香獐脯，龍女頭簪金鳳翹。吃的是，天厨八寶珍羞味；飲的是，
紫府瓊漿熟醖醪。

那上面坐的是牛魔王，左右有三四個蛟精，前面坐着一個老龍精，兩邊乃龍子、龍孫、龍婆、龍女。正在那裏觥籌交錯之際，孫大聖一直走將上去，被老龍看見，即命：「拿下那個野蟹來！」龍子、龍孫一擁上前，把大聖拿住。大聖忽作人言，衹叫：「饒命！饒命！」老龍道：「你是那裏來的野蟹？怎麽敢上廳堂，在尊客之前，横行亂走？快早供來，免汝死罪！」好大聖，假捏虚言，對衆供道：

「生自湖中爲活，傍崖作窟權居。蓋因日久得身舒，官受横行介士。踏草拖泥落索，從來未習行儀。不知法度冒王威，伏望尊慈恕罪！」

座上衆精聞言，都拱身對老龍作禮道：「蟹介士初入瑶宫，不知王禮，望尊公饒他去罷。」老龍稱謝了。衆精即教：「放了那廝，且記打，外面伺候。」大聖應了一聲，往外逃命，徑至牌樓之下。心中暗想道：「這牛王在此貪杯，那裏等得他散？就是散了，也不肯借扇與我。不如偷了他的金睛獸，變做牛魔王，去哄那羅刹女，騙他扇子，送我師父過山爲妙。」

好大聖，即現本像，將金睛獸解了繮繩，撲一把跨上雕鞍，徑直騎出水底。到于潭外，將身變作牛王模樣。打着獸，縱着雲，不多時，已至翠雲山芭蕉洞口。叫聲「開門！」那洞門裏有兩個女童，聞得聲音開了門，看見是牛魔王嘴臉，即入報：「奶奶，爺爺來家了。」那羅刹聽言，忙整雲鬟，急移蓮步，出門迎接。這大聖下雕鞍，牽進金睛獸，弄大膽，誆騙女佳人。羅刹女肉眼，認他不出，即携手而入。着丫鬟設座看茶，一家子見是主公，無不敬謹。

須臾間，叙及寒温。「牛王」道：「夫人久闊。」羅刹道：「大王萬福。」又云：「大王寵倖新婚，抛撇奴家，今日是那陣風兒吹你來的？」大聖笑道：「非敢抛撇，衹因玉面公主招後，家事繁冗，朋友多顧，是以稽留在外；却也又治得一個家當了。」又道：「近聞悟空那廝，保唐僧，將近火焰山界，恐他來問你借扇子。我恨那廝害子之仇未報，但來時，可差人報我，等我拿他，分屍萬段，以雪我夫妻之恨。」羅刹聞言，滴泪告道：「大王，常言説：『男

兒無婦財無主，女子無夫身無主。』我的性命，險些兒不着這猢猻害了！」大聖聽得故子，發怒駡道：「那潑猴幾時過去了？」羅刹道：「還未去。昨日到我這裏借扇子，我因他害孩兒之故，披挂了，輪寶劍出門，就砍那猢猻。他忍着疼，叫我做嫂嫂，説大王曾與他結義。」大聖道：「是，五百年前曾拜爲七兄弟。」羅刹道：「被我駡也不敢回言，砍也不敢動手，後被我一扇子扇去；不知在那裏尋得個定風法兒，今早又在門外叫唤。是我又使扇扇，莫想得動。急輪劍砍時，他就不讓我了。我怕他棒重，就走入洞裏，緊關上門。不知他又從何處，鑽在我肚腹之内，險被他害了性命！是我叫他幾聲叔叔，將扇與他去也。」大聖又假意捶胸道：「可惜！可惜！夫人錯了，怎麽就把這寶貝與那猢猻？惱殺我也！」

羅刹笑道：「大王息怒。與他的是假扇，但哄他去了。」大聖問：「真扇在于何處？」羅刹道：「放心！放心！我收着哩。」叫丫鬟整酒接風賀喜。遂擎杯奉上道：「大王，燕爾新婚，千萬莫忘結髮，且吃一杯鄉中之水。」大聖不敢不接，只得笑吟吟，舉觴在手道：「夫人先飲。我因圖治外産，久别夫人，早晚蒙護守家門，權爲酬謝。」羅刹復接杯斟起，遞與大王道：「自古道：『妻者，齊也。』夫乃養身之父，講甚麽謝。」他兩人謙謙講講，方纔坐下巡酒。大聖不敢破葷，衹吃幾個果子，與他言言語語。

酒至數巡，羅刹覺有半酣，色情微動，就和孫大聖挨挨擦擦，搭搭拈拈，携着手，俏語温存，並着肩，低聲俯就。將一杯酒，你喝一口，我喝一口，却又哺果。大聖假意虚情，相陪相笑；没奈何，也與他相倚相偎。果然是：

釣詩鈎，掃愁帚，破除萬事無過酒。男兒立節放襟懷，女子忘情開笑口。面赤似夭桃，身摇如嫩柳。絮絮叨叨話語多，捻捻掐掐風情有。時見掠雲鬟，又見輪尖手。幾番常把脚兒蹺，數次每將衣袖抖。粉項自然低，蠻腰漸覺扭。合歡言語不曾丢，酥胸半露松金鈕。醉來真個玉山頹，餳眼摩娑幾弄醜。

大聖見他這等酣然，暗自留心，挑鬥道：「夫人，真扇子你收在那裏？早晚仔細。但恐孫行者變化多端，却

又來騙去。」羅刹笑嘻嘻的，口中吐出，衹有一個杏葉兒大小，遞與大聖道：「這個不是寶貝？」大聖接在手中，却又不信，暗想着：「這些些兒，怎生扇得火滅？怕又是假的。」羅刹見他看着寶貝沉思，忍不住上前，將粉面搵在行者臉上，叫道：「親親，你收了寶貝吃酒罷。衹管出神想甚麽哩？」大聖就趁脚兒蹺，問他一句道：「這般小小之物，如何扇得八百里火焰？」羅刹酒陶真性，無忌憚，就説出方法道：「大王，與你别了二載，你想是晝夜貪歡，被那玉面公主弄傷了神思，怎麽自家的寶貝事情，也都忘了？——衹將左手大指頭捻着那柄兒上第七縷紅絲，念一聲『呬噓呵吸嘻吹呼』，即長一丈二尺長短。這寶貝變化無窮！那怕他八萬里火焰，可一扇而消也。」

大聖聞言，切切記在心上。却把扇兒也噙在口裏，把臉抹一抹，現了本像。厲聲高叫道：「羅刹女！你看看我可是你親老公！就把我纏了這許多醜勾當！不羞！不羞！」那女子一見是孫行者，慌得推倒桌席，跌倒塵埃，羞愧無比，衹叫「氣殺我也！氣殺我也！」

這大聖，不管他死活，捽脱手，拽大步，徑出了芭蕉洞。正是無心貪美色，得意笑顔回。將身一縱，踏祥雲，跳上高山，將扇子吐出來，演演方法。將左手大指頭捻着那柄上第七縷紅絲，念了一聲『呬噓呵吸嘻吹呼』，果然長了有一丈二尺長短。拿在手中，仔細看了一看，比前番假的果是不同，衹見祥光幌幌，瑞氣紛紛，上有三十六縷紅絲，穿經度絡，表裏相聯。原來行者衹討了個長的方法，不曾討他個小的口訣，左右只是那等長短。没奈何，只得搴在肩上，找舊路而回，不題。

却説那牛魔王在碧波潭底與衆精散了筵席，出得門來，不見了辟水金睛獸。老龍王聚衆精問道：「是誰偷放牛爺的金睛獸也？」衆精跪下道：「没人敢偷。我等俱在筵前供酒捧盤，供唱奏樂，更無一人在前。」老龍道：「家樂兒斷乎不敢，可曾有甚生人進來？」龍子、龍孫道：「適纔安座之時，有個蟹精到此。那個便是生人。」牛王聞説，頓然省悟道：「不消講了！早間賢友着人邀我時，有個孫悟空保唐僧取經，路遇火焰山難過，曾問我求借芭蕉扇。

我不曾與他，他和我賭鬥一場，未分勝負，我却丢了他，徑赴盛會。那猴子千般伶俐，萬樣機關，斷乎是那厮變作蟹精，來此打探消息，偷了我獸，去山妻處騙了那一把芭蕉扇兒也！」衆精見説，一個個膽戰心驚，問道：「可是那大鬧天宫的孫悟空麽？」牛王道：「正是。列公若在西天路上，有不是處，切要躲避他些兒。」老龍道：「似這般説，大王的駿騎，却如之何？」牛王笑道：「不妨，不妨。列公各散，等我趕他去來。」

遂而分開水路，跳出潭底，駕黄雲，徑至翠雲山芭蕉洞。衹聽得羅刹女跌脚捶胸，大呼小叫。推開門，又見辟水金睛獸拴在下邊，牛王高叫：「夫人，孫悟空那厢去了？」衆女童看見牛魔，一齊跪下道：「爺爺來了？」羅刹女扯住牛王，磕頭撞腦，口裏罵道：「潑老天殺的！怎樣這般不謹慎，着那猢猻偷了金睛獸，變作你的模樣，到此騙我！」牛王切齒道：「猢猻那厢去了？」羅刹捶着胸膛罵道：「那潑猴賺了我的寶貝，現出原身走了！氣殺我也！」牛王道：「夫人保重，勿得心焦。等我趕上猢猻，奪了寶貝，剥了他皮，銼碎他骨，擺出他的心肝，與你出氣！」叫：「拿兵器來！」女童道：「爺爺的兵器，不在這裏。」牛王道：「拿你奶奶的兵器來罷！」侍婢將兩把青鋒寶劍捧出。牛王脱了那赴宴的鴉青絨襖，束一束貼身的小衣，雙手綽劍，走出芭蕉洞，徑奔火焰山上趕來。正是那：

忘恩漢，騙了痴心婦；烈性魔，來近木叉人。

畢竟不知此去吉凶如何，且聽下回分解。

總批：

老牛、老猴曾結義來，緣何略無一些兄弟情分？有人曰：妖魔禽獸，説甚麽情分。又一友曰：没情分的便是妖魔禽獸耳。甚快之。

又批：

形容鐵扇、玉面兩公主，曲盡人家妻妾情狀。

第六十一回 豬八戒助力敗魔王 孫行者三調芭蕉扇

話表牛魔王趕上孫大聖，衹見他肩膊上掮着那柄芭蕉扇，怡顏悅色而行。魔王大驚道：『猢猻原來把運用的方法兒也叨餂得來了。我若當面問他索取，他定然不與。倘若扇我一扇，要去十萬八千里遠，却不遂了他意？我聞得唐僧在那大路上等候。他二徒弟豬精，三徒弟沙流精，我當年做妖怪時，也曾會他。且變作豬精的模樣，返騙他一場。料猢猻以得意爲喜，必不詳細堤防。』

好魔王，他也有七十二變，武藝也與大聖一般，只是身子狼些，欠鑽疾，不活達些；把寶劍藏了，念個咒語，搖身一變，即變作八戒一般嘴臉，抄下路，當面迎着大聖，叫道：『師兄，我來也！』

這大聖果然歡喜。古人云：『得勝的猫兒歡似虎』也，衹倚着强能，更不察來人的意思。見是個八戒的模樣，便就叫道：『兄弟，你往那裏去？』牛魔王綽着經兒道：『師父見你許久不回，恐牛魔王手段大，你鬥他不過，難得他的寶貝，教我來迎你的。』行者笑道：『不必費心，我已得了手了。』牛王又問道：『你怎麽得的？』行者道：『那老牛與我戰經百十合，不分勝負。他就撇了我，去那亂石山碧波潭底，與一伙蛟精、龍精飲酒。是我暗跟他去，變作個螃蟹，偷了他所騎的辟水金睛獸，變了老牛的模樣，徑至芭蕉洞哄那羅刹女。那女子與老孫結了一場乾夫妻，是老孫設法騙將來的。』牛王道：『却是生受了。哥哥勞碌太甚，可把扇子我拿。』孫大聖那知真假，也慮不及此，遂將扇子遞與他。

原來那牛王，他知那扇子收放的根本；接過手，不知捻個甚麽訣兒，依然小似一片杏葉，現出本像。開言罵道：『潑猢猻！認得我麽？』行者見了，心中自悔道：『是我的不是了！』恨了一聲，跌足高呼道：『咦！逐年家打雁，今却被小雁兒鵮了眼睛。』狠得他爆躁如雷，掣鐵棒，劈頭便打，那魔王就使扇子搧他一下，不知那大聖先前變蟭蟟蟲入羅刹女腹中之時，將定風丹噙在口裏，不覺的咽下肚裏，所以五臟皆牢，皮骨皆固，憑他怎麽搧，再也搧他不動。牛王慌了，把寶貝丟入口中，雙手輪劍就砍。那兩個在半空中這一場好殺：

齊天孫大聖，混世潑牛王，衹爲芭蕉扇，相逢各騁强。粗心大聖將人騙，大膽牛王把扇誆。這一個，金箍棒起無情義；那一個，雙刃青鋒有智量。大聖施威噴彩霧，牛王放潑吐毫光。齊鬥勇，兩不良，咬牙銼齒氣昂昂。播土揚塵天地暗，飛砂走石鬼神藏。這個說：『你敢無知返騙我！』那個說：『我妻許你共相將！』言村語潑，性烈情剛。那個說：『你哄人妻女真該死！告到官司有罪殃！』伶俐的齊天聖，兇頑的大力王，一心衹要殺，更不待商量。棒打劍迎齊努力，有些松慢見閻王。

且不說他兩個相鬥難分。却表唐僧坐在途中，一則火氣蒸人，二來心焦口渴，對火焰山土地道：『敢問尊神，那牛魔王法力如何？』土地道：『那牛王神通不小，法力無邊，正是孫大聖的敵手。』三藏道：『悟空是個會走路的，往常家二千里路，一霎時便回，怎麽如今去了一日？斷是與那牛王賭鬥。』叫：『悟能，悟淨！你兩個，那一個去迎你師兄一迎？倘或遇敵，就當用力相助，求得扇子來，解我煩躁，早早過山，趕路去也。』八戒道：『今日天晚，我想着要去接他，但只是不認得積雷山路。』土地道：『小神認得。且教捲簾將軍與你師父做伴，我與你去來。』三藏大喜道：『有勞尊神，功成再謝。』那八戒抖擻精神，束一束皂錦直裰，搴着鈀，即與土地縱起雲霧，徑回東方而去。

正行時，忽聽得喊殺聲高，狂風滾滾。八戒按住雲頭看時，原來孫行者與牛王厮殺哩。土地道：『天蓬還不上前還待怎的？』呆子掣釘鈀，厲聲高叫道：『師兄，我來也！』行者恨道：『你這夯貨，誤了我多少大事！』八戒道：『師父教我來迎你，因認不得山路，商議良久，教土地引我，故此來遲；如何誤了大事？』行者道：『不是怪你來遲。這潑牛十分無禮！我向羅刹處弄得扇子來，却被這厮變作你的模樣，口稱迎我，我一時歡悅，轉把扇子遞在他手，他却現了本像，與老孫在此比并，所以誤了大事也。』

八戒聞言大怒。舉釘鈀，當面罵道：『我把你這血皮脹的遭瘟！你怎敢變作你祖宗的模樣，騙我師兄，使我兄弟不睦！』你看他没頭没臉的使釘鈀亂築。那牛王，一則是與行者鬥了一日，力倦神疲；二則是見八戒的釘鈀凶猛，遮架不住，敗陣就走。衹見那火焰山土地，帥領陰兵，當面擋住道：『大力王，且住手。唐三藏西天取經，無神不保，無天不佑，三界通知，十方擁護。快將芭蕉扇來搧息火焰，教他無灾無障，早過山去，不然，上天責你罪愆，定遭誅也。』牛王道：『你這土地，全不察理！那潑猴奪我子，欺我妾，騙我妻，番番無道，我恨不得囫圇吞他下肚，化作大便餵狗，怎麽肯將寶貝借他！』

說不了，八戒趕上罵道：『我把你個結心癀！快拿出扇來，饒你性命！』那牛王只得回頭，使寶劍又戰八戒。孫大聖舉棒相幫。這一場在那裏好殺：

成精豕，作怪牛，兼上偷天得道猴。禪性自來能戰煉，必當用土合元由。釘鈀九齒尖還利，寶劍雙鋒快更柔。鐵棒捲舒爲主仗，土神助力結丹頭。三家刑克相爭競，各展雄才要運籌。捉牛耕地金錢長，唤豕歸爐木氣收。心不在焉何作道，神常守捨要拴猴。胡亂嚷，苦相求，三般兵刃響搜搜。鈀築劍傷無好意，金箍棒起有因由。衹殺得星不光兮月不皎，一天寒霧黑悠悠！

那魔王奮勇爭强，且行且鬥，鬥了一夜，不分上下，早又天明。前面是他的積雷山摩雲洞口，他三個與土地、陰兵，又喧嘩振耳，驚動那玉面公主，唤丫鬟看是那裏人嚷。衹見守門小妖來報：『是我家爺爺與昨日那雷公嘴漢子併一個長嘴大耳的和尚同火焰山土地等衆厮殺哩！』玉面公主聽言，即命外護的大小頭目，各執槍刀助力。前後點起七長八短，有百十餘口。一個個賣弄精神，拈槍弄棒，齊告：『大王爺爺，我等奉奶奶內旨，特來助力也！』牛王大喜道：『來得好！來得好！』衆妖一齊上前亂砍。八戒措手不及，倒拽着鈀，敗陣而走。大聖縱筋斗雲，跳出重圍。衆陰兵亦四散奔走。老牛得勝，聚衆妖歸洞，緊閉了洞門不題。

行者道：『這厮驍勇！自昨日申時前後，與老孫戰起，直到今夜，未定輸贏，却得你兩個來接力。如此苦鬥半日一夜，他更不見勞困。才這一伙小妖，却又莽壯。他將洞門緊閉不出，如之奈何？』八戒道：『哥哥，你昨日巳時離了師父，怎麽到申時才與他鬥起？你那兩三個時辰，在那裏的？』行者道：『別你後，頃刻就到這座山上，見一個女子，問訊，原來就是他愛妾玉面公主。被我使鐵棒唬他一唬，他就跑進洞，叫出那牛王來。與老孫謅言謅語，嚷了一會，又與他交手，鬥了有一個時辰。正打處，有人請他赴宴去了。是我跟他到那亂石山碧波潭底，變作一個螃蟹，探了消息，偷了他辟水金睛獸，假變牛王模樣，復至翠雲山芭蕉洞，騙了羅刹女，哄得他扇子。出門試演試演方法，把扇子弄長了，只是不會收小。正掮了走處，被他假變做你的嘴臉，返騙了去。故此耽擱兩三個時辰也。』

八戒道：『這正是俗語云：「大海裏翻了豆腐船，湯裏來，水裏去。」如今難得他扇子，如何保得師父過山？且回去，轉路走他娘罷！』土地道：『大聖休焦惱，天蓬莫懈怠。但說轉路，就是入了傍門，不成個修行之類，古語云：「行不由徑」，豈可轉走？你那師父，在正路上坐着，眼巴巴衹望你們成功哩！』行者發狠道：『正是，正是！呆子莫要胡談！土地說得有理。我們正要與他：

賭輸贏，弄手段，等我施爲地煞變。自到西方無對頭，牛王本是心猿變。今番正好會源流，斷要相持借寶扇。趁清涼，息火焰，打破頑空參佛面。行滿超昇極樂天，大家同赴龍華宴！』

那八戒聽言，便生努力。殷勤道：

『是，是，是！去，去，去！管甚牛王會不會，木生在亥配爲豬，牽轉牛兒歸土類。申下生金本是猴，無刑無克多和氣。用芭蕉，爲水意，焰火消除成既濟。晝夜休離苦盡功，功完趕赴「盂蘭會」。』

他兩個領着土地、陰兵一齊上前，使釘鈀，輪鐵棒，乒乒乓乓，把一座摩雲洞的前門，打得粉碎。唬得那外護頭目，

戰戰兢兢，闖入裏邊報道：『大王！孫悟空率衆打破前門也！』

那牛王正與玉面公主備言其事，懊恨孫行者哩。聽説打破前門，十分發怒，急披挂，拿了鐵棍，從裏邊罵出來道：『潑猢猻！你是多大個人兒，敢這等上門撒潑，打破我門扇？』八戒近前亂罵道：『潑老剥皮！你是個甚樣人物，敢量那個大小！不要走！看鈀！』牛王喝道：『你這個囔糟食的夯貨，不見怎的！快叫那猴兒上來！』行者道：『不知好歹的餉草！我昨日還與你論兄弟，今日就是仇人了！仔細吃吾一棒！』那牛王奮勇而迎。這場比前番更勝。三個英雄，厮混在一處。好殺：

釘鈀鐵棒逞神威，同帥陰兵戰老犧。犧牲獨展兇强性，遍滿同天法力恢。使鈀築，着棍擂，鐵棒英雄又出奇。三般兵器叮噹響，隔架遮攔誰讓誰？他道他爲首，我道我奪魁。土兵爲證難分解，木土相煎上下隨。這兩個説：『你如何不借芭蕉扇！』那一個道：『你焉敢欺心騙我妻！趕妾害兒仇未報，敲門打户又驚疑！』這個説：『你仔細堤防如意棒，擦着些兒就破皮！』那個説：『好生躲避鈀頭齒，一傷九孔血淋漓！』牛魔不怕施威猛，鐵棍高擎有見機。翻雲覆雨隨來往，吐霧噴風任發揮。恨苦這場都拚命，各懷惡念喜相持。丢架手，讓高低，前迎後擋總無虧。兄弟二人齊努力，單身一棍獨施爲。卯時戰到辰時後，戰罷牛魔束手回。

他三個含死忘生，又鬥有百十餘合。八戒發起呆性，仗着行者神通，舉鈀亂築。牛王遮架不住，敗陣回頭，就奔洞門。却被土地、陰兵攔住洞門，喝道：『大力王，那裏走！吾等在此！』那老牛不得進洞，急抽身，又見八戒、行者趕來，慌得卸了盔甲，丢了鐵棍，摇身一變，變做一隻天鵝，望空飛走。

行者看見，笑道：『八戒！老牛去了。』那呆子漠然不知，土地亦不能曉，一個個東張西覷，衹在積雷山前後亂找。行者指道：『那空中飛的不是？』八戒道：『那是一隻天鵝。』行者道：『正是老牛變的。』土地道：『既如此，却怎生好？』行者道：『你兩個打進此門，把群妖盡情剿除，拆了他的窩巢，絶了他的歸路，等老孫與他賭變化去。』那八戒與土地，依言攻破洞門不題。

這大聖收了金箍棒，捻訣念咒，摇身一變，變作一個海東青，颼的一翅，鑽在雲眼裏，倒飛下來，落在天鵝身上，抱住頸項嗛眼。那牛王也知是孫行者變化，急忙抖抖翅，變作一隻黄鷹，返來嗛海東青。行者又變作一個烏鳳，專一趕黄鷹。牛王識得，又變作一隻白鶴，長唳一聲，向南飛去。行者立定，抖抖翎毛，又變作一隻丹鳳，高鳴一聲。那白鶴見鳳是鳥王，諸禽不敢妄動，刷的一翅，淬下山崖，將身一變，變作一隻香獐，乜乜些些，在崖前吃草。行者認得，也就落下翅來，變作一隻餓虎，剪尾跑蹄，要來趕獐作食。魔王慌了手脚，又變作一隻金錢花斑的大豹，要傷餓虎。行者見了，迎着風，把頭一幌，又變作一隻金眼狻猊，聲如霹靂，鐵額銅頭，復轉身要食大豹。牛王着了急，又變作一個人熊，放開脚，就來擒那狻猊。行者打個滚，就變作一隻賴象，鼻似長蛇，牙如竹笋，撒開鼻子，要去捲那人熊。

牛王嘻嘻的笑了一笑，現出原身——一隻大白牛。頭如峻嶺，眼若閃光。兩隻角，似兩座鐵塔。牙排利刃。連頭至尾，有千餘丈長短；自蹄至背，有八百丈高下。——對行者高叫道：『潑猢猻！你如今將奈我何？』行者也就現了原身，抽出金箍棒來，把腰一躬，喝聲叫『長！』長得身高萬丈，頭如泰山，眼如日月，口似血池，牙似門扇，手執一條鐵棒，着頭就打。那牛王硬着頭，使角來觸。這一場，真個是撼嶺摇山，驚天動地！有詩爲證。詩曰：

道高一尺魔千丈，奇巧心猿用力降。若得火山無烈焰，必須寶扇有清凉。黄婆矢志扶元老，木母留情掃蕩妖。和睦五行歸正果，煉魔滌垢上西方。

他兩個大展神通，在半山中賭鬥，驚得那過往虚空，一切神衆與金頭揭諦、六甲六丁、一十八位護教伽藍都來圍困魔王。那魔王公然不懼，你看他東一頭，西一頭，直挺挺，光耀耀的兩隻鐵角，往來抵觸；南一撞，北一撞，

見說，將縛妖索子解下，跨在他那頸項上，一把拿住鼻頭，將索穿在鼻孔裏，用手牽來。孫行者却會聚了四大金剛、六丁六甲、護教伽藍、托塔天王、巨靈神將併八戒、土地、陰兵，簇擁着白牛，回至芭蕉洞口。

老牛叫道：「夫人，將扇子出來，救我性命！」羅刹聽叫，急卸了釵環，脫了色服，挽青絲如道姑，穿縞素似比丘，雙手捧那柄丈二長短的芭蕉扇子，走出門；又見有金剛衆聖與天王父子，慌忙跪在地下，磕頭禮拜道：「望菩薩饒我夫妻之命，願將此扇奉承孫叔叔成功去也！」行者近前接了扇，同大衆共駕祥雲，徑回東路。

却說那三藏與沙僧，立一會，坐一會，盼望行者，許久不回，何等憂慮！忽見祥雲滿空，瑞光滿地，飄飄颻颻，蓋衆神行將近，這長老害怕道：「悟浄！那壁厢是誰神兵來也？」沙僧認得道：「師父啊，那是四大金剛、金頭揭諦、六甲六丁、護教伽藍與過往衆神。牽牛的是哪吒三太子。拿鏡的是托塔李天王。大師兄執着芭蕉扇，二師兄併土地隨後，其餘的都是護衛神兵。」三藏聽說，換了毗盧帽，穿了袈裟，與悟浄拜迎衆聖，稱謝道：「我弟子有何德能，敢勞列位尊聖臨凡也！」四大金剛道：「聖僧喜了，十分功行將完！吾等奉佛旨差來助汝，汝當竭力修持，勿得須臾怠惰。」三藏叩齒叩頭，受身受命。

孫大聖執着扇子，行近山邊，盡氣力揮了一扇，那火焰山平平息焰，寂寂除光；行者喜喜歡歡，又扇一扇，祇聞得習習瀟瀟，清風微動；第三扇，滿天雲漠漠，細雨落霏霏。有詩爲證。詩曰：

火焰山遥八百程，火光大地有聲名。火煎五漏丹難熟，火燎三關道不清。時借芭蕉施雨露，幸蒙天將助神功。牽牛歸佛休顛劣，水火相聯性自平。

此時三藏解燥除煩，清心了意。四衆皈依，謝了金剛，各轉寶山。六丁六甲，昇空保護。過往神祇四散。天王、太子，牽牛徑歸佛地回繳。止有本山土地，押着羅刹女，在旁伺候。

行者道：「那羅刹，你不走路，還立在此等甚？」羅刹跪道：「萬望大聖垂慈，將扇子還了我罷。」八戒喝道：「潑賤人，不知高低！饒了你的性命，就彀了，還要討甚麽扇子？我們拿過山去，不會賣錢買點心吃？費了這許多精神力氣，又肯與你！雨濛濛的，還不回去哩！」羅刹再拜道：「大聖原說扇息了火還我。今此一場，誠悔之晚矣。祇因不倜儻，致令勞師動衆。我等也修成人道，只是未歸正果。見今真身現像歸西，我再不敢妄作。願賜本扇，從立自新，修身養命去也。」土地道：「大聖！趁此女深知息火之法，斷絶火根，還他扇子，小神居此苟安，拯救這方生民，求些血食，誠爲恩便。」行者道：「我當時問着鄉人說：『這山扇息火，祇收得一年五穀，便又火發。』如何治得除根？」羅刹道：「要是斷絶火根，祇消連扇四十九扇，永遠再不發了。」

行者聞言，執扇子，使盡筋力，望山頭連扇四十九扇，那山上大雨淙淙。果然是寶貝：有火處下雨，無火處天晴。他師徒們立在這無火處，不遭雨濕。坐了一夜，次早才收拾馬匹、行李，把扇子還了羅刹。又道：「老孫若不與你，恐人説我言而無信。你將扇子回山，再休生事。看你得了人身，饒你去罷！」那羅刹接了扇子，念個咒語，捏做個杏葉兒，噙在口裏。拜謝了衆聖，隱姓修行。後來也得了正果，經藏中萬古流名。羅刹、土地，俱感激謝恩，隨後相送。行者、八戒、沙僧，保着三藏遂此前進，真個是身體清涼，足下滋潤。誠所謂：

坎離既濟真元合，水火均平大道成。

畢竟不知幾年才回東土，且聽下回分解。

總批：

誰爲火焰山，本身煩熱者是；誰爲芭蕉扇，本身清凉者是。作者特爲此煩熱世界下一帖清凉散耳。讀者若作實事理會，便是痴人説夢。

又批：

今人都在火坑裏，安得羅刹扇子，連扇他四十九扇也。

第六十二回 滌垢洗心惟掃塔 縛魔歸主乃修身

十二時中忘不得，行功百刻全收。五年十萬八千週，休教神水涸，莫縱火光愁。水火調停無損處，五行聯絡如鉤。陰陽和合上雲樓，乘鸞登紫府，跨鶴赴瀛洲。

這一篇詞，牌名《臨江仙》。單道唐三藏師徒四衆，水火既濟，本性清涼。借得純陰寶扇，搧息燥火遥山。不一日行過了八百之程。師徒們散誕逍遥，向西而去。正值秋末冬初時序，見了些：

野菊殘英落，新梅嫩蕊生。村村納禾稼，處處食香羹。平林木落遠山現，曲澗霜濃幽壑清。應鐘氣，閉蟄營，純陰陽，月帝玄溟，盛水德，舜日憐晴。地氣下降，天氣上昇。虹藏不見影，池沼漸生冰。懸崖挂索藤花敗，松竹凝寒色更青。

四衆行彀多時，前又遇城池相近。唐僧勒住馬叫徒弟：「悟空，你看那廂樓閣崢嶸，是個甚麽去處？」行者抬頭觀看，乃是一座城池。真個是：

龍蟠形勢，虎踞金城。四垂華蓋近，百轉紫墟平。玉石橋欄排巧獸，黄金臺座列賢明。真個是神洲都會，天府瑶京。萬里邦畿固，千年帝業隆。蠻夷拱服君恩遠，海嶽朝元聖會盈。御階潔净，輦路清寧。酒肆歌聲鬧，花樓喜氣生。未央宫外長春樹，應許朝陽彩鳳鳴。

行者道：「師父，那座城池，是一國帝王之所。」八戒笑道：「天下府有府城，縣有縣城，怎麽就見是帝王之所？」行者道：「你不知帝王之居，與府縣自是不同。你看他四面有十數座門，周圍有百十餘裏，樓臺高聳，雲霧繽紛。非帝京邦國，何以有此壯麗？」沙僧道：「哥哥眼明，雖識得是帝王之處，却唤做甚麽名色？」行者道：「又無牌匾旌號，何以知之？須到城中詢問，方可知也。」

長老策馬，須臾到門。下馬過橋，進門觀看。祇見六街三市，貨殖通財，又見衣冠隆盛，人物豪華。正行時，忽見有十數個和尚，一個個披枷戴鎖，沿門乞化，着實的藍縷不堪。三藏嘆曰：「兔死狐悲，物傷其類。」叫：「悟空，你上前去問他一聲，爲何這等遭罪？」

行者依言，即叫：「那和尚，你是那寺裏的？爲甚事披枷戴鎖？」衆僧跪倒道：「爺爺，我等是金光寺負屈的和尚。」行者道：「金光寺坐落何方？」衆僧道：「轉過隅頭就是。」行者將他帶在唐僧前，問道：「怎生負屈，你説我聽。」衆僧道：「爺爺，不知你們是那方來的，我等似有些面善。此間不敢在此奉告，請到荒山，具説苦楚。」長老道：「也是。我們且到他那寺中去，仔細詢問緣由。」

同至山門，門上横寫七個金字「敕建護國金光寺」。師徒們進得門來觀看，但見那：

古殿香燈冷，虚廊葉掃風。凌雲千尺塔，養性幾株松。滿地落花無客過，檐前蛛網任攀籠。空架鼓，枉懸鐘，繪壁塵多彩像朦。講座幽然僧不見，禪堂静矣鳥常逢。凄凉堪嘆息，寂寞苦無窮。佛前雖有香爐設，灰冷花殘事事空。

三藏心酸，止不住眼中出泪。衆僧們頂着枷鎖，將正殿推開，請長老上殿拜佛。長老進殿，奉上心香，叩齒三匝。却轉于後面，見那方丈檐柱上又鎖着六七個小和尚，三藏甚不忍見。及到方丈，衆僧俱來叩頭，問道：「列位老爺像貌不一，可是東土大唐來的麽？」行者笑道：「這和尚有甚未卜先知之法？我們正是。你怎麽認得？」衆僧道：「爺爺，我等有甚未卜先知之法，只是痛負了屈苦，無處分明，日逐家只是叫天叫地。想是驚動天神，昨日夜間，各人都得一夢，説有個東土大唐來的聖僧，救得我等性命，庶此冤苦可伸。今日果見老爺這般异像，故認得也。」

三藏聞言大喜道：「你這裏是何地方？有何冤屈？」衆僧跪告：「爺爺，此城名唤祭賽國，乃西邦大去處。當年有四夷朝貢：南，月陀國；北，高昌國；東，西梁國；西，本鉢國。年年進貢美玉明珠，嬌妃駿馬。我這裏不動乾戈，不去征討，他那裏自然拜爲上邦。」三藏道：「既拜爲上邦，想是你這國王有道，文武賢良。」衆僧道：「爺爺，文也不賢，武也不良，國君也不是有道。我這金光寺，自來寶塔上祥雲籠罩，瑞靄高昇，夜放霞光，萬里有人曾見；

晝噴彩氣，四國無不同瞻。故此以爲天府神京，四夷朝貢。只是三年之前，孟秋朔日，夜半子時，下了一場血雨。天明時，家家害怕，户户生悲。衆公卿奏上國王，不知天公甚事見責。當時延請道士打醮，和尚看經，答天謝地。誰曉得我這寺裏黄金寶塔污了，這兩年外國不來朝貢。我王欲要征伐，衆臣諫道：我寺裏僧人偷了塔上寶貝，所以無祥雲瑞靄，外國不朝。昏君更不察理。那些贜官，將我僧衆拿了去，千般拷打，萬樣追求。當時我這裏有三輩和尚：前兩輩已被拷打不過，死了；如今又捉我輩，問罪枷鎖。老爺在上，我等怎敢欺心，盜取塔中之寶！萬望爺爺憐念，方以類聚，物以群分，捨大慈大悲，廣施法力，拯救我等性命！』

三藏聞言，點頭嘆道：『這樁事暗昧難明。一則是朝廷失政，二來是汝等有灾。既然天降血雨，污了寶塔，那時節何不啓本奏君，致令受苦？』衆僧道：『爺爺，我等凡人，怎知天意，况前輩俱未辨得，我等如何處之！』三藏道：『悟空，今日甚時分了？』行者道：『有申時前後。』三藏道：『我欲面君倒换關文，奈何這衆僧之事，不得明白，難以對君奏言。我當時離了長安，在法門寺裏立願：上西方逢廟燒香，遇寺拜佛，見塔掃塔。今日至此，遇有受屈僧人，乃因寶塔之累。你與我辦一把新笤帚，待我沐浴了，上去掃掃，即看這污穢之事何如，不放光之故何如，訪着端的，方好面君奏言，解救他們這苦難也。』

這些枷鎖的和尚聽説，連忙去厨房取把厨刀，遞與八戒道：『爺爺，你將此刀打開那柱子上鎖的小和尚鐵鎖，放他去安排齋飯香湯，伏侍老爺進齋沐浴。我等且上街化把新笤帚來與老爺掃塔。』八戒笑道：『開鎖有何難哉？不用刀斧，教我那一位毛臉老爺，他是開鎖的積年。』行者真個近前，使個解鎖法，用手一抹，幾把鎖俱退落下。那小和尚俱跑到厨中，净刷鍋竈，安排茶飯。三藏師徒們吃了齋，漸漸天昏。衹見那枷鎖的和尚，拿了兩把笤帚進來，三藏甚喜。

正説處，一個小和尚點了燈，來請洗澡。此時滿天星月光輝，譙樓上更鼓齊發。正是那：

四壁寒風起，萬家燈火明。六街關户牖，三市閉門庭。釣艇歸深樹，耕犁罷短繩。樵夫柯斧歇，學子誦書聲。

三藏沐浴畢，穿了小袖褊衫，束了環縧，足下换一雙軟公鞋，手裏拿一把新笤帚，對衆僧道：『你等安寢，待我掃塔去來。』行者道：『塔上既被血雨所污，又况日久無光，恐生惡物；一則夜静風寒，又没個伴侣，自去恐有差池。老孫與你同上如何？』三藏道：『甚好！甚好！』兩個各持一把，先到大殿上，點起琉璃燈，燒了香，佛前拜道：『弟子陳玄奘奉東土大唐差往靈山參見我佛如來取經，今至祭賽國金光寺，遇本僧言寶塔被污，國王疑僧盜寶，銜冤取罪，上下難明。弟子竭誠掃塔，望我佛威靈，早示污塔之原因，莫致凡夫之冤屈。』祝罷，與行者開了塔門，自下層望上而掃。衹見這塔，真是：

峥嶸倚漢，突兀凌空。正唤做五色琉璃塔，千金捨利峰。梯轉如穿窟，門開似出籠。寶瓶影射天邊月，金鐸聲傳海上風。但見那虚檐拱鬥，絶頂留雲。虚檐拱鬥，作成巧石穿花鳳；絶頂留雲，造就浮屠繞霧龍。遠眺可觀千里外，高登似在九霄中。層層門上琉璃燈，有塵無火；步步檐前白玉欄，積垢飛蟲。塔心裏，佛座上，香煙盡絶；窗櫺外，神面前，蛛網牽蒙。爐中多鼠糞，盞内少油熔。衹因暗失中間寶，苦殺僧人命落空。三藏發心將塔掃，管教重見舊時容。

唐僧用帚子掃了一層，又上一層。如此掃至第七層上，却早二更時分。那長老漸覺睏倦，行者道：『困了，你且坐下，等老孫替你掃罷。』三藏道：『這塔是多少層數？』行者道：『怕不有十三層哩。』長老耽着勞倦道：『是必掃了，方趁本願。』又掃了三層，腰酸腿痛，就于十層上坐倒道：『悟空，你替我把那三層掃净下來罷。』行者抖擻精神，登上第十一層，霎時又上到第十二層。正掃處，衹聽得塔頂上有人言語。行者道：『怪哉！怪哉！這早晚有三更時分，怎麽得有人在這頂上言語？斷乎是邪物也！且看看去。』

好猴王，輕輕的挾着笤帚，撒起衣服，鑽出前門，踏着雲頭觀看。衹見第十三層塔心裏坐着兩個妖精，面前

放一盤下飯，一隻碗，一把壺，在那裏猜拳吃酒哩。行者使個神通，丢了箬帚，掣出金箍棒，攔住塔門喝道：『好怪物！偷塔上寶貝的原來是你！』兩個怪物慌了，急起身，拿壺拿碗亂摜，被行者橫鐵棒攔住道：『我若打死你，没人供狀。』祇把棒逼將去。那怪貼在壁上，莫想挣扎得動。口裏祇叫：『饒命！饒命！不幹我事！自有偷寶貝的在那裏也。』行者使個拿法，一隻手抓將過來，徑拿下第十層塔中。報道：『師父，拿住偷寶貝之賊了！』三藏正自盹睡，忽聞此言，又驚又喜道：『是那裏拿來的？』行者把怪物揪到面前跪下道：『他在塔頂上猜拳吃酒耍子，是老孫聽得喧嘩，一縱雲，跳到頂上攔住，未曾着力。但恐一棒打死，没人供狀，故此輕輕捉來。師父可取他個口詞，看他是那裏妖精，偷的寶貝在于何處。』

那怪物戰戰兢兢，口叫『饒命！』遂從實供道：『我兩個是亂石山碧波潭萬聖龍王差來巡塔的。他叫做奔波兒灞，我叫做灞波兒奔。他是鮎魚怪，我是黑魚精。因我萬聖老龍生了一個女兒，就喚做萬聖公主。那公主花容月貌，有二十分人才。招得一個駙馬，喚做九頭駙馬，神通廣大。前年與龍王來此，顯大法力，下了一陣血雨，污了寶塔，偷了塔中的舍利子佛寶。公主又去大羅天上，靈霄殿前，偷了王母娘娘的九葉靈芝草，養在那潭底下，金光霞彩，晝夜光明。近日聞得有個孫悟空往西天取經，説他神通廣大，沿路上專一尋人的不是，所以這些時常差我等來此巡攔。若還有那孫悟空到時，好準備也。』行者聞言，嘻嘻冷笑道：『那孽畜等這等無禮！怪道前日請牛魔王在那裏赴會！原來他結交這伙潑魔，專幹不良之事！』

説未了，祇見八戒與兩三個小和尚，自塔下提着兩個燈籠，走上來道：『師父，掃了塔不去睡覺，在這裏講甚麽哩？』行者道：『師弟，你來正好。塔上的寶貝，乃是萬聖老龍偷了去。今着這兩個小妖巡塔，探聽我等來的消息，却纔被我拿住也。』八戒道：『叫做甚麽名字，甚麽妖精？』行者道：『才然供了口詞，一個叫做奔波兒灞，一個叫做灞波兒奔；一個是鮎魚怪，一個是黑魚精。』八戒掣鈀就打，道：『既是妖精，取了口詞，不打死待何時？』行者道：『你不知。且留着活的，好去見皇帝講話，又好做鑿眼去尋賊追寶。』好呆子，真個收了鈀，一家一個，都抓下塔來。那怪祇叫：『饒命！』八戒道：『正要你鮎魚、黑魚做些鮮湯，與那負冤屈的和尚吃哩！』

兩三個小和尚，喜喜歡歡，提着燈籠，引長老下了塔。一個先跑報衆僧道：『好了！好了！我們得見青天了！偷寶貝的妖怪，已是爺爺們捉將來矣！』行者教：『拿鐵索來，穿了琵琶骨，鎖在這裏。汝等看守，我們睡覺去，明日再做理會。』那些和尚都緊緊的守着，讓三藏們安寢。

不覺的天曉。長老道：『我與悟空入朝，倒换關文去來。』長老即穿了錦襴袈裟，戴了毗盧帽，整束威儀，拽步前進。行者也束一束虎皮裙，整一整綿布直裰，取了關文同去。八戒道：『怎麽不帶這兩個妖賊？』行者道：『待我們奏過了，自有駕帖着人來提他。』遂行至朝門外。看不盡那朱雀黄龍，清都絳闕。三藏到東華門，對閣門大使作禮道：『煩大人轉奏，貧僧是東土大唐差去西天取經者，意欲面君，倒换關文。』那黄門官果與通報，至階前奏道：『外面有兩個异容异服僧人，稱言南贍部洲東土唐朝差往西方拜佛求經，欲朝我王，倒换關文。』

國王聞言，傳旨教宣。長老即引行者入朝。文武百官，見了行者，無不驚怕。有的説是猴和尚，有的説是雷公嘴和尚。個個悚然，不敢久視。長老在階前舞蹈山呼的行拜，大聖叉着手，斜立在旁，公然不動。長老啓奏道：『臣僧乃南贍部洲東土大唐國差來拜西方天竺國大雷音寺佛，求取真經者。路經寶方，不敢擅過。有隨身關文，乞倒驗方行。』那國王聞言大喜。傳旨教宣唐朝聖僧上金鑾殿，安綉墩賜坐。長老獨自上殿，先將關文捧上，然後謝恩敢坐。

那國王將關文看了一遍，心中喜悦道：『似你大唐王有疾，能選高僧，不避路途遥遠，拜我佛取經；寡人這裏和尚，專心只是做賊，敗國傾君！』三藏聞言，合掌道：『怎見得敗國傾君？』國王道：『寡人這國，乃是西域上邦，常有四夷朝貢，皆因國内有個金光寺，寺内有座黄金寶塔，塔上有光彩衝天。近被本寺賊僧，暗竊了其

中之寶，三年無有光彩，外國這二年也不來朝，寡人心痛恨之。』三藏合掌笑道：『萬歲，「差之毫厘，失之千里」矣。貧僧昨晚到于天府，一進城門，就見十數個枷紐之僧。問及何罪，他道是金光寺負冤屈者。因到寺細審，更不幹本寺僧人之事：貧僧入夜掃塔，已獲那偷寶之妖賊矣。』國王大喜道：『妖賊安在？』三藏道：『現被小徒鎖在金光寺裏。』

那國王急降金牌：『着錦衣衛快到金光寺取妖賊來，寡人親審。』三藏又奏道：『萬歲，雖有錦衣衛，還得小徒去方可。』國王道：『高徒在那裏？』三藏用手指道：『那玉階旁立者便是。』國王見了，大驚道：『聖僧如此丰姿，高徒怎麼這等相貌？』孫大聖聽見了，厲聲高叫道：『陛下，「人不可貌相，海水不可鬥量。」若愛豐姿者，如何捉得妖賊也？』國王聞言，回驚作喜道：『聖僧說的是。朕這裏不選人才，祇要獲賊得寶歸塔爲上。』再着當駕官看車蓋，教錦衣衛好生伏侍聖僧去取妖賊來。那當駕官即備大轎一乘，黄傘一柄，錦衣衛點起校尉，將行者八抬八綽，大四聲喝路，徑至金光寺。自此驚動滿城百姓，無處無一人不來看聖僧及那妖賊。

八戒、沙僧聽得喝道，祇說是國王差官，急出迎接，原來是行者坐在轎上。呆子當面笑道：『哥哥，你得了本身也！』行者下了轎，攙着八戒道：『我怎麼得了本身？』八戒道：『你打着黄傘，抬着八人轎，却不是猴王之職分？故說你得了本身。』行者道：『且莫取笑。』遂解下兩個妖物，押見國王。沙僧道：『哥哥，也帶挈小弟帶挈。』行者道：『你祇在此看守行李、馬匹。』那枷鎖之僧道：『爺爺們都去承受皇恩，等我們在此看守。』行者道：『既如此，等我去奏過國王，却來放你。』八戒揪着一個妖賊，沙僧揪着一個妖賊，孫大聖依舊坐了轎，擺開頭搭，將兩個妖怪押赴當朝。

須臾，至白玉階。對國王道：『那妖賊已取來了。』國王遂降龍床，與唐僧及文武多官，同目視之。那怪一個是暴腮烏甲，尖嘴利牙；一個是滑皮大肚，巨口長鬚。雖然是有足能行，大抵是變成的人像。國王問曰：『你是何方賊怪，那處妖精，幾年侵吾國土，何年盜我寶貝，一盤共有多少賊徒，都喚做甚麼名字，從實一一供來！』二怪朝上跪下，頸内血淋淋的，更不知疼痛。供道：

『三載之外，七月初一，有個萬聖龍王，帥領許多親戚，住居在本國東南，離此處路有百十。潭號碧波，山名亂石。生女多嬌，妖嬈美色。招贅一個九頭駙馬，神通無敵。他知你塔上珍奇，與龍王合盤做賊，先下血雨一場，後把舍利偷訖。見如今照耀龍宮，縱黑夜明如白日。公主施能，寂寂密密，又偷了王母靈芝，在潭中温養寶物。我兩個不是賊頭，乃龍王差來小卒。今夜被擒，所供是實。』

國王道：『既取了供，如何不供自家名字？』那怪道：『我喚做奔波兒灞，他喚做灞波兒奔。奔波兒灞是個鮎魚怪，灞波兒奔是個黑魚精。』國王教錦衣衛好生收監。傳旨：『赦了金光寺衆僧的枷鎖，快教光禄寺排宴，就于麒麟殿上謝聖僧獲賊之功，議請聖僧捕擒賊首。』

光禄寺即時備了葷素兩樣筵席。國王請唐僧四衆上麒麟殿叙坐。問道：『聖僧尊號？』唐僧合掌道：『貧僧俗家姓陳，法名玄奘。蒙君賜姓唐，賤號三藏。』國王又問：『聖僧高徒何號？』三藏道：『小徒俱無號。第一個名孫悟空，第二個名猪悟能，第三個名沙悟净：此乃南海觀世音菩薩起的名字。因拜貧僧爲師，貧僧又將悟空叫做行者；悟能叫做八戒；悟净叫做和尚。』國王聽畢，請三藏坐了上席；孫行者坐了側首左席；猪八戒、沙和尚坐了側首右席。俱是素果、素菜、素茶、素飯。前面一席葷的，坐了國王；下首有百十席葷的，坐了文武多官。衆臣謝了君恩，徒告了師罪，坐定。國王把盞，三藏不敢飲酒，他三個各受了安席酒。下邊祇聽得管弦齊奏，乃是教坊司動樂。你看八戒放開食嗓，真個是虎咽狼吞，將一席果菜之類，吃得罄盡。少頃間，添換湯飯又來，又吃得一毫不剩。巡酒的來，又杯杯不辭。這場筵席，直樂到午後方散。

三藏謝了盛宴。國王又留住道：『這一席聊表聖僧獲怪之功。』教光禄寺：『快翻席到建章宮裏，再請聖僧定

捕賊首，取寶歸塔之計。』三藏道：『既要捕賊取寶，不勞再宴。貧僧等就此辭王，就擒捉妖怪去也。』國王不肯，一定請到建章宮，又吃了一席。國王舉酒道：『那位聖僧帥衆出師，降妖捕怪？』三藏道：『教大徒弟孫悟空去。』大聖拱手應承。國王道：『孫長老既去，用多少人馬？幾時出城？』八戒忍不住高聲叫道：『那裏用甚麼人馬！又那裏管甚麼時辰！趁如今酒醉飯飽，我共師兄去，手到擒來！』三藏甚喜道：『八戒這一向勤緊啊！』行者道：『既如此，着沙僧弟保護師父，我兩個去來。』那國王道：『二位長老既不用人馬，可用兵器？』八戒笑道：『你家的兵器，我們用不得。我弟兄自有隨身器械。』國王聞說，即取大觥來，與二位長老送行。孫大聖道：『酒不吃了，衹教錦衣衛把兩個小妖拿來，我們帶了他去做鑿眼。』國王傳旨，即時提出。二人夾着兩個小妖，駕風頭，使個攝法，徑上東南去了。噫！他那：

君臣一見騰風霧，才識師徒是聖僧。

畢竟不知此去如何擒獲，且聽下回分解。

總批：

寶塔放光亦非實事，此心之光明是；失了寶貝，此心之迷惑是。切勿差認，令識者笑人也。

第六十三回　二僧蕩怪鬧龍宮　群聖除邪獲寶貝

却說祭賽國王與大小公卿，見孫大聖與八戒騰雲駕霧，提着兩個小妖，飄然而去。一個個朝天禮拜道：『話不虛傳！今日方知有此輩神仙活佛！』又見他遠去無踪，却拜謝三藏、沙僧道：『寡人肉眼凡胎，衹知高徒有力量，拿住妖賊便了；豈知乃騰雲駕霧之上仙也。』三藏道：『貧僧無些法力，一路上多虧這三個小徒。』沙僧道：『不瞞陛下說。我大師兄乃齊天大聖皈依。他曾大鬧天宮，使一條金箍棒，十萬天兵，無一個對手。衹鬧得太上老君害怕，玉皇大帝心驚。我二師兄乃天蓬元帥果正。他也曾掌管天河八萬水兵大衆。惟我弟子無法力，乃捲簾大將受戒。愚弟兄若幹別事無能，若說擒妖縛怪，拿賊捕亡，伏虎降龍，踢天弄井，以至攪海翻江之類，略通一二。這騰雲駕霧，喚雨呼風，與那換斗移星，擔山趕月，特餘事耳，何足道哉！』國王聞說，愈十分加敬。請唐僧上坐，口口稱爲『老佛』，將沙僧等皆稱爲『菩薩』。滿朝文武欣然，一國黎民頂禮不題。

却說孫大聖與八戒駕着狂風，把兩個小妖攝到亂石山碧波潭，住定雲頭。將金箍棒吹了一口仙氣，叫『變！』變作一把戒刀，將一個黑魚怪割了耳朵，鮎魚精割了下唇，撇在水裏，喝道：『快早去對那萬聖龍王報知，說我齊天大聖孫爺爺在此，着他即送祭賽國金光寺塔上的寶貝出來，免他一家性命！若迸半個「不」字，我將這潭水攪淨，教他一門兒老幼遭誅！』

那兩個小妖，得了命，負痛逃生，拖着鎖索，淬入水内，唬得那些黿鼉龜鱉，蝦蟹魚精，都來圍住問道：『你兩個爲何拖繩帶索？』一個掩着耳，搖頭擺尾；一個侮着嘴，跌脚捶胸，都嚷嚷鬧鬧，徑上龍王宮殿報：『大王，禍事了！』那萬聖龍王正與九頭駙馬飲酒，忽見他兩個來，即停杯問何禍事。那兩個即告道：『昨夜巡攔，被唐僧、孫行者掃塔捉獲，用鐵索拴鎖。今早見國王，又被那行者與猪八戒抓着我兩個，一個割了耳朵，一個割了嘴唇，拋在水中，着我來報，要索那塔頂寶貝。』遂將前後事，細說了一遍。那老龍聽說是孫行者齊天大聖，唬得魂不附體，

魄散九霄。戰兢兢對駙馬道：『賢婿啊，别個來還好計較，若果是他，却不善也！』駙馬笑道：『太岳放心。愚婿自幼學了些武藝，四海之内，也曾會過幾個豪杰，怕他做甚！等我出去與他交戰三合，管取那厮縮首歸降，不敢仰視。』

好妖怪，急縱身披挂了，使一般兵器，叫做月牙鏟，步出宫，分開水道，在水面上叫道：『是甚麽齊天大聖！快上來納命！』行者與八戒，立在岸邊，觀看那妖精怎生打扮：

戴一頂爛銀盔，光欺白雪；貫一副兜鍪甲，亮敵秋霜。上罩着錦徵袍，真個是彩雲籠玉；腰束着犀紋帶，果然像花蟒纏金。手執着月牙鏟，霞飛電掣；脚穿着猪皮靴，水利波分。遠看時一頭一面，近睹處四面皆人。前有眼，後有眼，八方通見；左也口，右也口，九口言論。一聲吆喝長空振，似鶴飛鳴貫九宸。

他見無人對答，又叫一聲：『那個是齊天大聖？』行者按一按金箍，理一理鐵棒道：『老孫便是。』那怪道：『你家居何處？身出何方？怎生得到祭賽國，與那國王守塔，却大膽獲我頭目，又敢行兇，上吾寶山索戰？』行者罵道：『你這賊怪，原來不識你孫爺爺哩！你上前，聽我道：

老孫祖住花果山，大海之間水簾洞。自幼修成不壞身，玉皇封我齊天聖。祇因大鬧鬥牛宫，天上諸神難取勝。當請如來展妙高，無邊智慧非凡用。爲翻筋斗賭神通，手化爲山壓我重。整到如今五百年，觀音勸解方逃命。大唐三藏上西天，遠拜靈山求佛頌。解脱吾身保護他，煉魔浄怪從修行。路逢西域祭賽城，屈害僧人三代命。我等慈悲問舊情，乃因塔上無光映。吾師掃塔探分明，夜至三更天籟静。捉住魚精取實供，他言汝等偷寶珍。合盤爲盗有龍王，公主連名稱萬聖。血雨澆淋塔上光，將他寶貝偷來用。殿前供狀更無虚，我奉君言馳此境。所以相尋索戰争，不須再問孫爺姓。快將寶貝獻還他，免汝老少全家命。敢若無知騁勝强，教你水涸山頽都蹭蹬！』

那駙馬聞言，微微冷笑道：『你原來是取經的和尚，没要緊羅織管事！我偷他的寶貝，你取佛的經文，與你何幹，却來厮鬥！』行者道：『這賊怪甚不達理！我雖不受國王的恩惠，不食他的水米，不該與他出力；但是你偷他的寶貝，污他的寶塔，屢年屈苦金光寺僧人，他是我一門同氣，我怎麽不與他出力，辨明冤枉？』駙馬道：『你既如此，想是要行賭賽。常言道：「武不善作。」但只怕起手處，不得留情，一時間傷了你的性命，誤了你去取經！』

行者大怒，罵道：『這潑賊怪，有甚强能，敢開大口！走上來，吃老爺一棒！』那駙馬更不心慌，把月牙鏟架住鐵棒，就在那亂石山頭，這一場真個好殺：

妖魔盗寶塔無光，行者擒妖報國王。小怪逃生回水内，老龍破膽各商量。九頭駙馬施威武，披挂前來展素强。怒發齊天孫大聖，金箍棒起十分剛。那怪物，九個頭顱十八眼，前前後後放毫光；這行者，一雙鐵臂千斤力，藹藹紛紛併瑞祥。鏟似一陽初現月，棒如萬里遍飛霜。他説：『你無乾休把不平報！』我道『你有意偷寶真不良！那潑賤，少輕狂，還他寶貝得安康！』棒迎鏟架争高下，不見輸贏練戰場。

他兩個往往來來，鬥經三十餘合，不分勝負。猪八戒立在山前，見他們戰到酣美之處，舉着釘鈀，從妖精背後一築。原來那怪九個頭，轉轉都是眼睛，看得明白。見八戒在背後來時，即使鏟架着釘鈀，鏟頭抵着鐵棒。又耐戰五七合，擋不得前後齊輪，他却打個滚，騰空跳起，現了本像，乃是一個九頭蟲，觀其形象十分醜惡，見此身模怕殺人！他生得：

毛羽鋪錦，團身結絮。方圓有丈二規模，長短似黿鼉樣致。兩隻脚尖利如鈎，九個頭攢環一處。展開翅極善飛揚，縱大鵬無他力氣；發起聲遠振天涯，比仙鶴還能高唳。眼多閃灼幌金光，氣傲不同凡鳥類。

猪八戒看見心驚道：『哥啊！我自爲人，也不曾見這等個惡物！是甚血氣生此禽獸也？』行者道：『真個罕有！真個罕有！等我趕上打去！』好大聖，急縱祥雲，跳在空中，使鐵棒照頭便打。那怪物大顯身，展翅斜飛，颼的打個轉身，掠到山前，半腰裏又伸出一個頭來，張開口如血盆相似，把八戒一口咬着鬃，半拖半扯，捉下碧

波潭水内而去。及至龍宫外，還變作前番模樣，將八戒擲之于地，叫：『小的們何在？』那裏面鯖鮊鯉鱖之魚精，龜鱉黿鼉之介怪，一擁齊來，道聲『有！』駙馬道：『把這個和尚，綁在那裏，與我巡攔的小卒報仇！』衆精推推嚷嚷，抬進八戒去時，那老龍王歡喜，迎出道：『賢婿有功，怎生捉他來也？』那駙馬把上項原故，説了一遍。老龍即命排酒賀功不題。

却説孫行者見妖精擒了八戒，心中懼道：『這厮恁般利害！我待回朝見師，恐那國王笑我。待要開言罵戰，曾奈我又單身？况水面之事不慣。且等我變化了進去，看那怪把呆子怎生擺佈。若得便，且偷他出來幹事。』

好大聖，捻着訣，摇身一變，還變做一個螃蟹，淬于水内，徑至牌樓之前。原來這條路是他前番襲牛魔王盗金睛獸走熟了的。直至那宫闕之下，横爬過去。又見那老龍王與九頭蟲閤家兒歡喜飲酒。行者不敢相近，爬過東廊之下，見幾個蝦精蟹精，紛紛紜紜耍子。行者聽了一會言談，却就學語學話，問道：『駙馬爺爺拿來的那長嘴和尚，這會死了不曾？』衆精道：『不曾死。縛在那西廊下哼的不是？』

行者聽説，又輕輕的爬過西廊。真個那呆子綁在柱上哼哩。行者近前道：『八戒，認得我麽？』八戒聽得聲音，知是行者，道：『哥哥，怎麽了！反被這厮捉住我也！』行者四顧無人，將鉗咬斷索子叫走。那呆子脱了手道：『哥哥，我的兵器，被他收了，又奈何？』行者道：『你可知道收在那裏？』八戒道：『當被那怪拿上宫殿去了。』行者道：『你先去牌樓下等我。』八戒逃生，悄悄的溜出。行者復身爬上宫殿，觀看左首下有光彩森森，乃是八戒的釘鈀放光，使個隱身法，將鈀偷出。到牌樓下，叫聲『八戒！接兵器！』呆子得了鈀，便道：『哥哥，你先走，等老猪打進宫殿。若得勝，就捉住他一家子；若不勝，敗出來，你在這潭岸上救應。』行者大喜，衹教仔細。八戒道：『不怕他！水裏本事，我略有些兒。』行者丢了他，負出水面不題。

這八戒束了皂直裰，雙手纏鈀，一聲喊，打將進去。慌得那大小水族，奔奔波波，跑上宫殿，吆喝道：『不好了！長嘴和尚挣斷繩返打進來了！』那老龍與九頭蟲併一家子俱措手不及，跳起來，藏藏躲躲。這呆子不顧死活，闖上宫殿，一路鈀，築破門扇，打破桌椅，把些吃酒的傢火之類，盡皆打碎。有詩爲證。詩曰：

木母遭逢水怪擒，心猿不捨苦相尋。暗施巧計偷開鎖，大顯神威怒恨深。駙馬忙携公主躲，龍王戰栗絶聲音。
水宫綘闕門窗損，龍子龍孫盡没魂。

這一場，被八戒把玳瑁屏打得粉碎，珊瑚樹攢得雕零。那九頭蟲將公主安藏在内，急取月牙鏟，趕至前宫，喝道：『潑夯豕彘！怎敢欺心驚吾眷族！』八戒罵道：『這賊怪，你焉敢將我捉來！這場不幹我事，是你請我來家打的！快拿寶貝還我，回見國王了事；不然，决不饒你一家命也！』那怪那肯容情，咬定牙齒，與八戒交鋒。那老龍才定了神思，領龍子、龍孫，各執槍刀，齊來攻取。八戒見事體不諧，虚幌一鈀，撤身便走。那老龍帥衆追來。須臾，攛出水中，都到潭面上翻騰。

却説孫行者立于潭岸等候，忽見他們追趕八戒，出離水中，就半踏雲霧，掣鐵棒，喝聲『休走！』衹一下，把個老龍頭打得稀爛。可憐血濺潭中紅水泛，屍飄浪上敗鱗浮！唬得那龍子、龍孫各各逃命；九頭駙馬收龍屍，轉宫而去。

行者與八戒且不追襲，回上岸，備言前事。八戒道：『這厮鋭氣挫了！被我那一路鈀，打進去時，打得落花流水，魂散魄飛！正與那駙馬厮鬥，却被老龍王趕着，却虧了你打死。那厮們回去，一定停喪挂孝，决不肯出來。今又天色晚了，却怎奈何？』行者道：『管甚麽天晚！乘此機會，你還下去攻戰。務必取出寶貝，方可回朝。』那呆子意懶情疏，徉徉推託。行者催逼道：『兄弟不必多疑，還像剛纔引出來，等我打他。』

兩人正自商量，衹聽得狂風滚滚，慘霧陰陰，忽從東方徑往南去。行者仔細觀看，乃二郎顯聖，領梅山六兄弟，架着鷹犬，挑着狐兔，抬着獐鹿，一個個腰挎彎弓，手持利刃，縱風霧踴躍而來。行者道：『八戒，那是我七聖

兄弟，倒好留請他們，與我助戰。若得成功，倒是一場大機會也。』八戒道：『既是兄弟，極該留請。』行者道：『但內有顯聖大哥，我曾受他降伏，不好見他。你去攔住雲頭，叫道：「真君，且略住住。齊天大聖在此進拜。」他若聽見是我，斷然住了。待他安下，我却好見。』

那呆子急縱雲頭，上山攔住，厲聲高叫道：『真君，且慢車駕。有齊天大聖請見哩。』那爺爺見説，即傳令，就停住六兄弟，與八戒相見畢。問：『齊天大聖何在？』八戒道：『現在山下聽呼喚。』二郎道：『兄弟們，快去請來。』

六兄弟乃是康、張、姚、李、郭、直，各各出營叫道：『孫悟空哥哥，大哥有請。』行者上前，對衆作禮，遂同上山。

二郎爺爺迎見，携手相攙，一同相見道：『大聖，你去脱大難，受戒沙門，刻日功完，高登蓮座，可賀！可賀！』行者道：『不敢。向蒙莫大之恩，未展斯須之報。雖然脱難西行，未知功行何如。今因路遇祭賽國，搭救僧灾，在此擒妖索寶。偶見兄長車駕，大膽請留一助。未審兄長自何而來，肯見愛否。』二郎笑道：『我因閑暇無事，同衆兄弟采獵而回。幸蒙大聖不弃留會，足感故舊之情。若命挾力降妖，敢不如命；却不知此地是何怪賊？』六聖道：『大哥忘了？此間是亂石山，山下乃碧波潭，萬聖之龍宮也。』二郎驚訝道：『萬聖老龍却不生事，怎麽敢偷塔寶？』行者道：『他近日招了一個駙馬，乃是九頭蟲成精。他郎丈兩個做賊，將祭賽國下了一場血雨，把金光寺塔頂舍利佛寶偷來。那國王不解其意，苦拿着僧人拷打。是我師父慈悲，夜來掃搭，當被我在塔上拿住兩個小妖，是他差來巡探的。今早押赴朝中，實實供招了。那國王就請我師收降，師命我等到此。先一場戰，被九頭蟲腰裏伸出一個頭來，把八戒銜了去，我却又變化下水，解了八戒。才然大戰一場，是我把老龍打死，那厮們收屍挂孝去了。我兩個正議索戰，却見兄長儀仗降臨，故此輕瀆也。』二郎道：『既傷了老龍，正好與他攻擊，使那厮不能措手，却不連窩巢都滅絶了？』八戒道：『雖是如此，奈天晚何。』二郎道：『兵家云：「征不待時，」何怕天晚！』唐、姚、郭、直道：『大哥莫忙。那厮家眷在此，料無處去。孫二哥也是貴客，豬剛鬣又歸了正果，我們營內，有隨帶的酒肴。教小的們取火，就在此鋪設：一則與二位賀喜，二來也當叙情。且歡會這一夜，待天明索戰何遲？』二郎大喜道：『賢弟説得極當。』却命小校安排。行者道：『列位盛情，不敢固却。但自做和尚，都是齋戒，恐葷素不便。』二郎道：『有素果品，酒也是素的。』衆兄弟在星月光前，幕天席地，舉杯叙舊。

正是寂寞更長，歡娛夜短。早不覺東方發白。那八戒幾鐘酒吃得興抖抖的道：『天將明了，等老豬下水去索戰也。』二郎道：『元帥仔細。衹要引他出來，我兄弟們好下手。』八戒笑道：『我曉得！我曉得！』你看他斂衣纏鈀，使分水法，跳將下去，徑至那牌樓下。發聲喊，打入殿内。

此時那龍子披了麻，看着龍屍哭；龍孫與那駙馬，在後面收拾棺材哩。這八戒罵上前，手起處，鈀頭着重，把個龍子夾腦連頭，一鈀築了九個窟窿。唬得那龍婆與衆往裏亂跑，哭道：『長嘴和尚又把我兒打死了！』那駙馬聞言，即使月牙鏟，帶龍孫往外殺來。這八戒舉鈀迎敵，且戰且退，跳出水中。這岸上齊天大聖與七兄弟一擁上前，槍刀亂扎，把個龍孫剁成幾斷肉餅。那駙馬見不停當，在山前打個滚，又現了本像，展開翅，旋繞飛騰。二郎即取金弓，安上銀彈，扯滿弓，往上就打。那怪急鎩翅，掠到邊前，要咬二郎；半腰裏才伸出一個頭來，被那頭細犬，攛上去，汪的一口，把頭血淋淋的咬將下來。那怪物負痛逃生，徑投北海而去。八戒便要趕去。行者止住道：『且莫趕他。正是「窮寇勿追」。他被細犬咬了頭，必定是多死少生。等我變做他的模樣，你分開水路，趕我進去，尋那公主，詐他寶貝來也。』二郎與六聖道：『不趕他，倒也罷了；只是遺這種類在世，必爲後人之害。』至今有個九頭蟲滴血，是遺種也。

那八戒依言，分開水路。行者變作怪像前走，八戒吆吆喝喝後追。漸漸追至龍宮，衹見那萬聖宮主道：『駙馬，

怎麽這等慌張？』行者道：『那八戒得勝，把我趕將進來，覺道不能敵他。你快把寶貝好生藏了！』那公主急忙難識真假，即于後殿裏取出一個渾金匣子來，遞與行者道：『這是佛寶。』又取出一個白玉匣子，也遞與行者道：『這是九葉靈芝。你拿這寶貝藏去，等我與猪八戒鬥上兩三合，擋住他。你將寶貝收好了，再出來與他合戰。』行者將兩個匣兒收在身邊，把臉一抹，現了本像道：『公主，你看我可是駙馬麽？』公主慌了，便要搶奪匣子，被八戒跑上去，着肩一鈀，築倒在地。

還有一個老龍婆撤身就走，被八戒扯住，舉鈀才築，行者道：『且住！莫打死他。留個活的，好去國内見功。』遂將龍婆提出水面。行者隨後捧着兩個匣子上岸，對二郎道：『感兄長威力，得了寶貝，掃净妖賊也。』二郎道：『一則是那國王洪福齊天，二則是賢昆玉神通無量，我何功之有！』兄弟們俱道：『孫二哥既已功成，我們就此告別。』行者感謝不盡，欲留同見國王。諸公不肯，遂帥衆回灌口去訖。

行者捧着匣子，八戒拖着龍婆，半雲半霧，頃刻間到了國内。原來那金光寺解脱的和尚，都在城外迎接。忽見他兩個雲霧定時，近前磕頭禮拜，接入城中。

那國王與唐僧正在殿上講論。這裏有先走的和尚，仗着膽，入朝門奏道：『萬歲，孫、猪二老爺擒賊獲寶而來也。』那國王聽説，連忙下殿，共唐僧、沙僧，迎着稱謝神功不盡，隨命排筵謝恩。三藏道：『且不須賜飲，着小徒歸了塔中之寶，方可飲宴。』三藏又問行者道：『汝等昨日離國，怎麽今日才來？』行者把那戰駙馬，打龍王，逢真君，敗妖怪，及變化詐寶貝之事，細説了一遍。三藏與國王，大小文武，俱喜之不勝。

國王又問：『龍婆能人言語否？』八戒道：『乃是龍王之妻，生了許多龍子、龍孫，豈不知人言？』國王道：『既知人言，快早説前後做賊之事。』龍婆道：『偷佛寶，我全不知，都是我那夫君龍鬼與那駙馬九頭蟲，知你塔上之光乃是佛家舍利子，三年前下了血雨，乘機盗去。』又問：『靈芝草是怎麽偷的？』龍婆道：『只是我小女萬聖公主私入大羅天上，靈霄殿前，偷的王母娘娘九葉靈芝草。那舍利子得這草的仙氣温養着，千年不壞，萬載生光，去地下，或田中，掃一掃，即有萬道霞光，千條瑞氣。如今被你奪來，弄得我夫死子絶，婿喪女亡，千萬饒了我的命罷！』八戒道：『正不饒你哩！』行者道：『家無全犯。我便饒你，衹便要你長遠替我看塔。』龍婆道：『好死不如惡活。但留我命，憑你教做甚麽。』行者叫取鐵索來。當駕官即取鐵索一條，把龍婆琵琶骨穿了。教沙僧：『請國王來看我們安塔去。』

那國王即忙排駕，遂同三藏携手出朝，并文武多官，隨至金光寺上塔。將舍利子安在第十三層塔頂寶瓶中間，把龍婆鎖在塔心柱上。念動真言，唤出本國土地、城隍與本寺伽藍，每三日送飯食一餐，與這龍婆度口；少有差訛，即行處斬。衆神暗中領護。行者却將芝草把十三層塔層層掃過，安在瓶内，温養舍利子。這才是整舊如新，霞光萬道，瑞氣千條，依然八方共睹，四國同瞻。下了塔門，國王就謝道：『不是老佛與三位菩薩到此，怎生得明此事也！』

行者道：『陛下，「金光」二字不好，不是久住之物：金乃流動之物，光乃閃爍之氣。貧僧爲你勞碌這場，將此寺改作伏龍寺，教你永遠常存。』那國王即命换了字號，懸上新扁，乃是『敕建護國伏龍寺』。一壁厢安排御宴，一壁厢召丹青寫下四衆生形，五鳳樓註了名號。國王擺鑾駕，送唐僧師徒，賜金玉酬答，師徒們堅辭，一毫不受。這真個是：

邪怪剪除萬境静，寶塔回光大地明。

畢竟不知此去前路如何，且聽下回分解。

總批：

九頭妖者，喻人之頭緒多也。心無二用，豈有方員并畫，東西兩到之理？多岐亡羊，慎之，慎之。

第六十四回　荆棘嶺悟能努力　木僊庵三藏談詩

話表祭賽國王謝了唐三藏師徒獲寶擒怪之恩，所贈金玉，分毫不受。却命當駕官照依四位常穿的衣服，各做兩套，鞋襪各做兩雙，縧環各做兩條，外備乾糧烘炒，倒换了通關文牒，大排鑾駕，併文武多官，滿城百姓，伏龍寺僧人，大吹大打，送四衆出城。約有二十里，先辭了國王。衆人又送二十里辭回。伏龍寺僧人，送有五六十里不回。有的要同上西天，有的要修行伏侍。行者見都不肯回去，遂弄個手段，把毫毛拔了三四十根，吹口仙氣，叫『變！』都變作斑斕猛虎，攔住前路，哮吼踴躍。衆僧方懼，不敢前進。大聖才引師父策馬而去。少時間，去得遠了。衆僧人放聲大哭，都喊『有恩有義的老爺！我等無緣，不肯度我們也！』

且不說衆僧啼哭。却說師徒四衆，走上大路，却纔收回毫毛，一直西去。正是時序易遷，又早冬殘春至，不暖不寒，正好逍遥行路。忽見一條長嶺，嶺頂上是路。三藏勒馬觀看，那嶺上荆棘丫叉，薜蘿牽繞。雖是有道路的痕跡，左右却都是荆刺棘針。唐僧叫：『徒弟，這路怎生走得？』行者道：『怎麽走不得？』又道：『徒弟啊，路痕在下，荆棘在上，祇除是蛇蟲伏地而遊，方可去了；若你們走，腰也難伸，教我如何乘馬？』八戒道：『不打緊，等我使出鈀柴手來，把釘鈀分開荆棘，莫説乘馬，就抬轎也包你過去。』三藏道：『你雖有力，長遠難熬。却不知有多少遠近，怎生費得這許多精神！』行者道：『不須商量，等我去看看。』將身一縱，跳在半空看時，一望無際。真個是：

匝地遠天，凝煙帶雨。夾道柔茵亂，漫山翠蓋張。密密搓搓初發葉，攀攀扯扯正芬芳。遥望不知何所盡，近觀一似緑雲茫。蒙蒙茸茸，鬱鬱蒼蒼。風聲飄索索，日影映煌煌。那中間有松有柏還有竹，多梅多柳更多桑。薜蘿纏古樹，藤葛繞垂楊。盤團似架，聯絡如床。有處花開真佈錦，無端卉發遠生香。爲人誰不遭荆棘，那見西方荆棘長！

行者看罷多時，將雲頭按下道：『師父，這去處遠哩！』三藏問：『有多少遠？』行者道：『一望無際，似有千里之遥。』三藏大驚道：『怎生是好？』沙僧笑道：『師父莫愁，我們也學燒荒的，放上一把火，燒絶了荆棘過去。』八戒道：『莫亂談！燒荒的須在十來月，草衰木枯，方好引火。如今正是蕃盛之時，怎麽燒得！』行者道：『就是燒得，也怕人子。』三藏道：『這般怎生得度？』八戒笑道：『要得度，還依我。』

好呆子，捻個訣，念個咒語，把腰躬一躬，叫『長！』就長了有二十丈高下的身軀；把釘鈀幌一幌，教『變！』就變了有三十丈長短的鈀柄；拽開步，雙手使鈀，將荆棘左右摟開：『請師父跟我來也！』三藏見了甚喜，即策馬緊隨。後面沙僧挑着行李，行者也使鐵棒撥開。這一日未曾住手，行有百十里，將次天晚，見有一塊空闊之處。當路上有一通石碣，上有三個大字，乃『荆棘嶺』；下有兩行十四個小字，乃『荆棘蓬攀八百里，古來有路少人行。』八戒見了，笑道：『等我老猪與他添上兩句：「自今八戒能開破，直透西方路盡平！」』三藏欣然下馬道：『徒弟啊，累了你也！我們就在此住過了今宵，待明日天光再走。』八戒道：『師父莫住，趁此天色晴朗，我等有興，連夜摟開路走他娘！』那長老只得相從。

八戒上前努力。師徒們，人不住手，馬不停蹄，又行了一日一夜，却又天色晚矣。那前面蓬蓬結結，又聞得風敲竹韵，颯颯松聲。却好又有一段空地，中間乃是一座古廟。廟門之外，有松柏凝青，桃梅鬥麗。三藏下馬，與三個徒弟同看。祇見：

岩前古廟枕寒流，落目荒煙鎖廢丘。白鶴叢中深歲月，緑蕪臺下自春秋。竹摇青珮疑聞語，鳥弄餘音似訴愁。鷄犬不通人跡少，閑花野蔓繞墻頭。

行者看了道：『此地少吉多凶，不宜久坐。』沙僧道：『師兄差疑了。似這杳無人烟之處，又無個怪獸妖禽，怕他怎的？』

説不了，忽見一陣陰風，廟門後，轉出一個老者，頭戴角巾，身穿淡服，手持拐杖，足踏芒鞋，後跟着一個青臉獠牙，紅鬚赤身鬼使，頭頂着一盤面餅，跪下道：『大聖，小神乃荆棘嶺土地。知大聖到此，無以接待，特備蒸餅一盤，奉上老師父，各請一餐。此地八百里，更無人家，聊吃些兒充飢。』八戒歡喜，上前舒手，就欲取餅。不知行者端詳已久，喝一聲『且住！這厮不是好人！休得無禮！你是甚麽土地，來誑老孫！看棍！』那老者見他打來，將身一轉，化作一陣陰風，呼的一聲，把個長老攝將起去，飄飄蕩蕩，不知攝去何所。慌得那大聖没跟尋處，八戒、沙僧俱相顧失色，白馬亦祇自驚吟。三兄弟連馬四口，恍恍忽忽，遠望高張，并無一毫下落，前後找尋不題。

却説那老者同鬼使，把長老抬到一座煙霞石屋之前，輕輕放下。與他携手相攙道：『聖僧休怕。我等不是歹人，乃荆棘嶺十八公是也。因風清月霽之宵，特請你來會友談詩，消遣情懷故耳。』那長老却纔定性，睁眼仔細觀看。真個是：

漠漠煙雲去所，清清仙境人家。正好潔身修煉，堪宜種竹栽花。每見翠岩來鶴，時聞青沼鳴蛙。更賽天臺丹竈，仍期華嶽明霞。説甚耕雲釣月，此間隱逸堪誇。坐久幽懷如海，朦朧月上窗紗。

三藏正自點看，漸覺月明星朗，祇聽得人語相談。都道：『十八公請得聖僧來也。』長老抬頭觀看，乃是三個老者：前一個霜姿丰采，第二個緑鬢婆娑，第三個虚心黛色。各各面貌、衣服俱不相同，都來與三藏作禮。長老還了禮，道：『弟子有何德行，敢勞列位仙翁下愛？』十八公笑道：『一向聞知聖僧有道，等待多時，今幸一見。如果不吝珠玉，寬坐叙懷，足見禪機真派。』三藏躬身道：『敢問仙翁尊號？』十八公道：『霜姿者號孤直公，緑鬢者號凌空子，虚心者號拂雲叟。老拙號曰勁節。』三藏道：『四翁尊壽幾何？』孤直公道：

『我歲今經千歲古，撑天葉茂四時春。香枝鬱鬱龍蛇伏，碎影重重霜雪身。自幼堅剛能耐老，從今正直喜修真。烏栖鳳宿非凡輩，落落森森遠俗塵。』

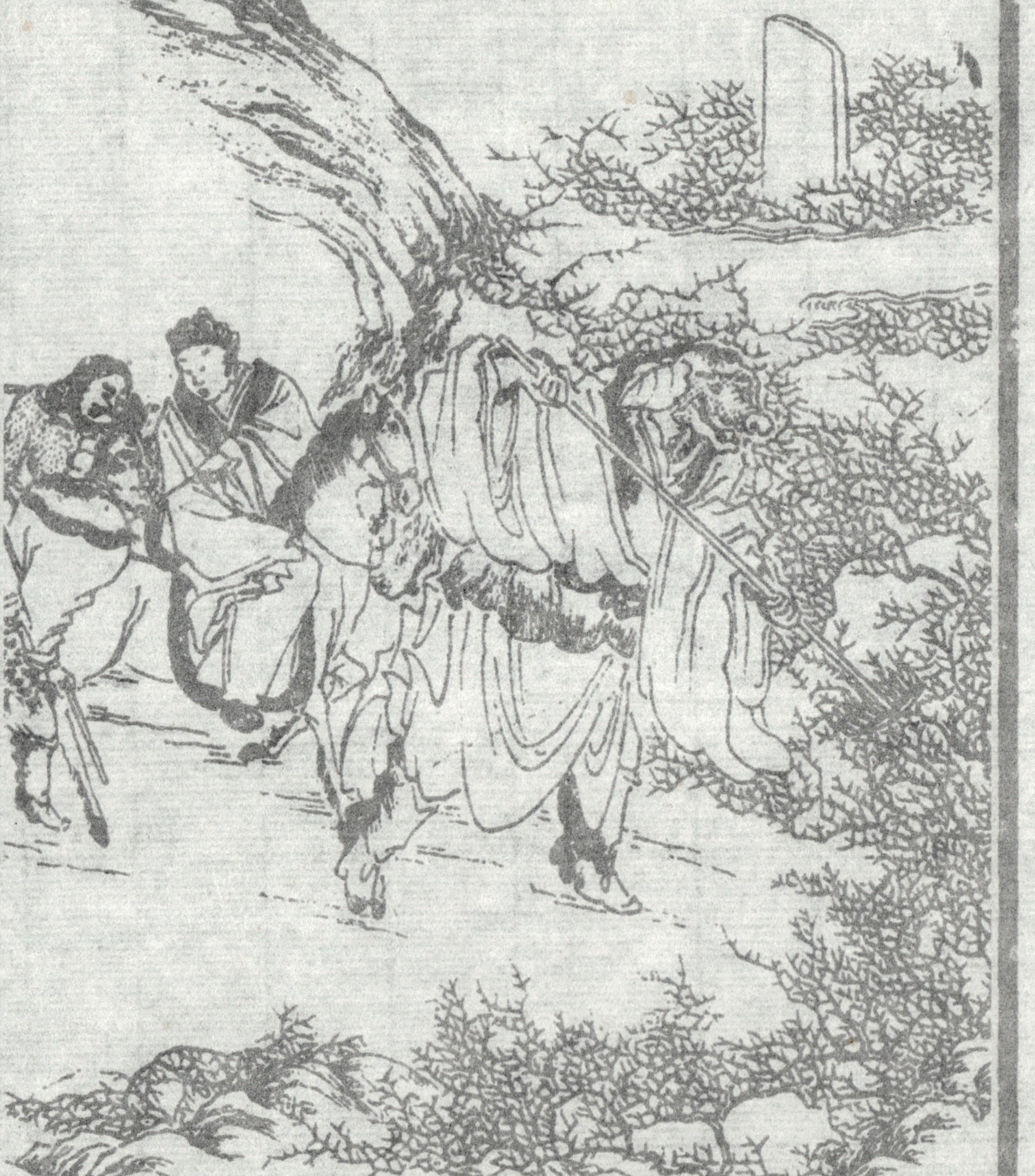

凌空子笑道：

『吾年千載傲風霜，高幹靈枝力自剛。夜靜有聲如雨滴，秋晴蔭影似雲張。盤根已得長生訣，受命尤宜不老方。留鶴化龍非俗輩，蒼蒼爽爽近仙鄉。』

拂雲叟笑道：

『歲寒虛度有千秋，老景瀟然清更幽。不雜囂塵終冷淡，飽經霜雪自風流。七賢作侶同談道，六逸爲朋共唱酬。戛玉敲金非瑣瑣，天然情性與仙遊。』

勁節十八公笑道：

『我亦千年約有餘，蒼然貞秀自如如。堪憐雨露生成力，借得乾坤造化機。萬壑風煙惟我盛，四時瀟落讓吾疏。蓋張翠影留仙客，博弈調琴講道書。』

三藏稱謝道：『四位仙翁，俱享高壽，但勁節翁又千歲餘矣。高年得道，丰采清奇，得非漢時之「四皓」乎？』四老道：『承過獎！承過獎！吾等非四皓，乃深山之「四操」也。敢問聖僧，妙齡幾何？』三藏合掌躬身答曰：

『四十年前出母胎，未産之時命已災。逃生落水隨波滾，幸遇金山脱本骸。養性看經無懈怠，誠心拜佛敢俄挨？今蒙皇上差西去，路遇仙翁下愛來。』

四老俱稱道：『聖僧自出娘胎，即從佛教，果然是從小修行，真中正有道之上僧也。我等幸接臺顔，敢求大教。望以禪法指教一二，足慰生平。』長老聞言，慨然不懼，即對衆言曰：

『禪者，靜也；法者，度也。靜中之度，非悟不成。悟者，洗心滌慮，脱俗離塵是也。夫人身難得，中土難生，正法難遇：全此三者，幸莫大焉。至德妙道，渺漠希夷，六根六識，遂可掃除。菩提者，不死不生，無餘無欠，空色包羅，聖凡俱遣。訪真了元始鉗錘，悟實了牟尼手段。發揮象罔，踏碎涅　。必須覺中覺了悟中悟，一點靈光全保護。放開烈焰照娑婆，法界縱橫獨顯露。至幽微，更守固，玄關口説誰人度？我本元修大覺禪，有緣有志方記悟。』

四老側耳受了，無邊喜悦。一個個稽首皈依，躬身拜謝道：『聖僧乃禪機之悟本也！』

拂雲叟道：『禪雖靜，法雖度，須要性定心誠。縱爲大覺真仙，終坐無生之道。我等之玄，又大不同也。』三藏云：『道乃非常，體用合一，如何不同？』拂雲叟笑云：

『我等生來堅實，體用比爾不同。感天地以生身，蒙雨露而滋色。笑傲風霜，消磨日月。一葉不雕，千枝節操。似這話不叩衝虛。你執持梵語。道也者，本安中國，反來求證西方。空費了草鞋，不知尋個甚麽？石獅子剜了心肝，野狐涎灌徹骨髓。忘本參禪，妄求佛果，都似我荆棘嶺葛藤謎語，蘿　渾言。此般君子，怎生接引？這等規模，如何印授？必須要檢點見前面目，靜中自有生涯。没底竹籃汲水，無根鐵樹生花。靈寶峰頭牢着脚，歸來雅會上龍華。』

三藏聞言，叩頭拜謝。十八公用手攙扶。孤直公將身扯起。凌空子打個哈哈道：『拂雲之言，分明漏泄。聖僧請起，不可盡信。我等趁此月明，原不爲講論修持，且自吟哦逍遥，放蕩襟懷也。』拂雲叟笑指石屋道：『若要吟哦，且入小庵一茶，何如？』

長老真個欠身，向石屋前觀看。門上有三個大字，乃『木仙庵』。遂此同入，又叙了坐次。忽見那赤身鬼使，捧一盤茯苓膏，將五盞香湯奉上。四老請唐僧先吃，三藏驚疑，不敢便吃。那四老一齊享用，三藏却纔吃了兩塊。各飲香湯收去。三藏留心偷看，衹見那裏玲瓏光彩，如月下一般：

水自石邊流出，香從花裏飄來。滿座清虛雅緻，全無半點塵埃。

那長老見此仙境，以爲得意，情樂懷開，十分歡喜。忍不住念了一句道：

『禪心似月迥無塵。』

勁節老笑而即聯道：

『詩興如天青更新。』

孤直公道：

『好句漫裁摶錦綉。』

凌空子道：

『佳文不點唾奇珍。』

拂雲叟道：

『六朝一洗繁華盡，四始重删雅頌分。』

三藏道：『弟子一時失口，胡談幾字，誠所謂「班門弄斧」。適聞列仙之言，清新飄逸，真詩翁也。』勁節老道：『聖僧不必閑叙。出家人全始全終。既有起句，何無結句？望卒成之。』三藏道：『弟子不能，煩十八公結而成篇爲妙。』勁節道：『你好心腸！你起的句，如何不肯結果？慳吝珠璣，非道理也。』三藏只得續後二句云：

『半枕松風茶未熟，吟懷瀟灑滿腔春。』

十八公道：『好個「吟懷瀟灑滿腔春」！』孤直公道：『勁節，你深知詩味，所以祇管咀嚼。何不再起一篇？』十八公亦慨然不辭道：『我却是頂針字起：

春不榮華冬不枯，雲來霧往祇如無。』

凌空子道：『我亦體前頂針二句：

無風摇拽婆娑影，有客欣憐福壽圖。』

拂雲叟亦頂針道：

『圖似西山堅節老，清如南國没心夫。』

孤直公亦頂針道：

『夫因側葉稱梁棟，臺爲横柯作憲烏。』

長老聽了，讚嘆不已道：『真是陽春白雪，浩氣衝霄！弟子不才，敢再起兩句。』孤直公道：『聖僧乃有道之士，大養之人也。不必再相聯句，請賜教全篇，庶我等亦好勉强而和。』三藏無已，只得笑吟一律曰：

『杖錫西來拜法王，願求妙典遠傳揚。金芝三秀詩壇瑞，寶樹千花蓮蕊香。百尺竿頭須進步，十方世界立行藏。修成玉像莊嚴體，極樂門前是道場。』

四老聽畢，俱極讚揚。十八公道：『老拙無能，大膽僭越，也勉和一首。』云：

『勁節孤高笑木王，靈椿不似我名揚。山空百丈龍蛇影，泉泌千年琥珀香。解與乾坤生氣概，喜因風雨化行藏。衰殘自愧無仙骨，惟有苓膏結壽場。』

孤直公道：『此詩起句豪雄，聯句有力，但結句自謙太過矣。堪羡！堪羡！老拙也和一首。』云：

『霜姿常喜宿禽王，四絶堂前大器揚。露重珠纓蒙翠蓋，風輕石齒碎寒香。長廊夜静吟聲細，古殿秋陰淡影藏。元日迎春曾獻壽，老來寄傲在山場。』

凌空子笑而言曰：『好詩！好詩！真個是月脅天心，老拙何能爲和？但不可空過，也須扯淡幾句。』曰：

『梁棟之材近帝王，太清宫外有聲揚。晴軒恍若來青氣，暗壁尋常度翠香。壯節凛然千古秀，深根結矣九泉藏。凌雲勢蓋婆娑影，不在群芳艷麗場。』

拂雲叟道：『三公之詩，高雅清淡，正是放開錦綉之囊也。我身無力，我腹無才，得三公之教，茅塞頓開。無已，也打油幾句，幸勿哂焉。』詩曰：

『淇澳園中樂聖王，渭川千畝任分揚。翠筠不染湘娥泪，班籜堪傳漢史香。霜葉自來顏不改，煙梢從此色何藏？子猷去世知音少，亘古留名翰墨場。』

三藏道：『衆仙老之詩，真個是吐鳳噴珠，遊夏莫讚。厚愛高情，感之極矣。但夜已深沉，三個小徒，不知在何處等我。弟子不能久留，敢此告回尋訪，尤無窮之至愛也。望老仙指示歸路。』四老笑道：『聖僧勿慮。我等也是千載奇逢。况天光晴爽，雖夜深却月明如晝，再寬坐坐，待天曉自當遠送過嶺，高徒一定可相會也。』

正話間，祗見石屋之外，有兩個青衣女童，挑一對絳紗燈籠，後引着一個仙女。那仙女拈着一枝杏花，笑吟吟進門相見。那仙女怎生模樣？他生得：

青姿妝翡翠，丹臉賽胭脂。星眼光還彩，蛾眉秀又齊。下襯一條五色梅淺紅裙子，上穿一件煙裏火比甲輕衣。弓鞋彎鳳嘴，綾襪錦拖泥。妖嬈嬌似天臺女，不亞當年俏妲姬。

四老欠身問道：『杏仙何來？』那女子對衆道了萬福，道：『知有佳客在此賡酬，特來相訪。敢求一見。』十八公指着唐僧道：『佳客在此，何勞求見！』三藏躬身，不敢言語。那女子叫：『快獻茶來。』又有兩個黄衣女童，捧一個紅漆丹盤，盤内有六個細磁茶盂，盂内設幾品异果，横擔着匙兒，提一把白鐵嵌黄銅的茶壺，壺内香茶噴鼻。斟了茶，那女子微露春葱，捧磁盂先奉三藏，次奉四老，然後一盞，自取而陪。

凌空子道：『杏仙爲何不坐？』那女子方纔去坐。茶畢，欠身問道：『仙翁今宵盛樂，佳句請教一二如何？』拂雲叟道：『我等皆鄙俚之言，惟聖僧真盛唐之作，甚可嘉羡。』那女子道：『如不吝教，乞賜一觀。』四老即以長老前詩後詩并禪法論，宣了一遍。那女子滿面春風，對衆道：『妾身不才，不當獻醜。但聆此佳句，似不可虚，也勉强將後詩奉和一律如何？』遂朗吟道：

『上蓋留名漢武王，周時孔子立壇場。董仙愛我成林積，孔楚曾憐寒食香。雨潤紅姿嬌且嫩，煙蒸翠色顯還藏。自知過熟微酸意，落處年年伴麥場。』

四老聞詩，人人稱賀。都道：『清雅脱塵，句内包含春意。好個「雨潤紅姿嬌且嫩」！「雨潤紅姿嬌且嫩」！』那女子笑而悄答道：『惶恐！惶恐！適聞聖僧之章，誠然錦心綉口。如不吝珠玉，賜教一闋如何？』唐僧不敢答應。那女子漸有見愛之情，挨挨軋軋，漸近坐邊，低聲悄語，呼道：『佳客莫者，趁此良宵，不耍子待要怎的？人生光景，能有幾何？』十八公道：『杏仙盡有仰高之情，聖僧豈可無俯就之意？如不見憐，是不知趣了也。』孤直公道：『聖僧乃有道有名之士，决不苟且行事。如此樣舉措，是我等取罪過了。污人名，壞人德，非遠達也。果是杏仙有意，可教拂雲叟與十八公做媒，我與凌空子保親，成此姻眷，何不美哉！』

三藏聽言，遂變了顏色，跳起來高叫道：『汝等皆是一類邪物，這般誘我！當時祗以砥礪之言，談玄談道可也，如今怎麽以美人局來騙害貧僧！是何道理！』四老見三藏發怒，一個個咬指擔驚，再不復言。那赤身鬼使，暴躁如雷道：『這和尚好不識抬舉！我這姐姐，那些兒不好？他人材俊雅，玉質嬌姿，不必説那女工針指，祗這一段詩才，也配得過你。你怎麽這等推辭！休錯過了！孤直公之言甚當。如果不可苟合，待我再與你主婚。』三藏大驚失色。憑他們怎麽胡談亂講，只是不從。鬼使又道：『你這和尚，我們好言好語，你不聽從，若是我們發起村野之性，還把你攝了去，教你和尚不得做，老婆不得娶，却不枉爲人一世也？』那長老心如金石，堅執不從。暗想道：『我徒弟們不知在那裏尋我哩……』説一聲，止不住眼中墮泪。那女子陪着笑，挨至身邊，翠袖中取出一個蜜合綾汗巾兒，與他揩泪，道：『佳客勿得煩惱。我與你倚玉偎香，耍子去來。』長老咄的一聲吆喝，跳起身來就走，被那些人扯扯拽拽，嚷到天明。

忽聽得那裏叫聲：『師父！師父！你在那方言語也？』原來那孫大聖與八戒、沙僧，牽着馬，挑着擔，一夜不曾住脚，穿荆度棘，東尋西找，却好半雲半霧的，過了八百里荆棘嶺西下，聽得唐僧吆喝，却就喊了一聲。那

長老掙出門來，叫聲『悟空，我在這裏哩。快來救我！快來救我！』那四老與鬼使，那女子與女童，幌一幌，都不見了。

須臾間，八戒、沙僧俱到邊前道：『師父，你怎麽得到此也？』三藏扯住行者道：『徒弟啊，多累了你們了！昨日晚間見的那個老者，言説土地送齋一事，是你喝聲要打，他就把我抬到此方。他與我携手相攙，走入門，又見三個老者，來此會我，俱道我做「聖僧」。一個個言談清雅，極善吟詩。我與他賡和相攀，覺有夜半時候，又見一個美貌女子，執燈火，也來這裏會我，吟了一首詩，稱我做「佳客」。因見我相貌，欲求配偶，我方省悟。正不從時，又被他做媒的做媒，保親的保親，主婚的主婚，我立誓不肯。正欲掙着要走，與他嚷鬧，不期你們到了。一則天明，二來還是怕你，衹才還扯扯拽拽，忽然就不見了。』行者道：『你既與他叙話談詩，就不曾問他個名字？』三藏道：『我曾問他之號。那老者唤做十八公，號勁節；第二個號孤直公；第三個號凌空子；第四個號拂雲叟；那女子，人稱他做杏仙。』八戒道：『此物在于何處？才往那方去了？』三藏道：『去向之方，不知何所；但衹談詩之處，去此不遠。』

他三人同師父看處，衹見一座石崖，崖上有『木仙庵』三字。三藏道：『此間正是。』行者仔細觀之，却原來是一株大檜樹，一株老柏，一株老松，一株老竹。竹後有一株丹楓。再看崖那邊，還有一株老杏，二株臘梅，二株丹桂。行者笑道：『你可曾看見妖怪？』八戒道：『不曾。』行者道：『你不知。就是這幾株樹木在此成精也。』八戒道：『哥哥怎得知成精者是樹？』行者道：『十八公乃松樹，孤直公乃柏樹，凌空子乃檜樹，拂雲叟乃竹竿，赤身鬼乃楓樹，杏仙即杏樹，女童即丹桂、臘梅也。』八戒聞言，不論好歹，一頓釘鈀，三五長嘴，連拱帶築，把兩顆臘梅、丹桂、老杏、楓楊俱揮倒在地，果然那根下俱鮮血淋灕。三藏近前扯住道：『悟能，不可傷了他！他雖成了氣候，却不曾傷我。我等找路去罷。』行者道：『師父不可惜他。恐日後成了大怪，害人不淺也。』那呆子索性一頓鈀，將松、柏、檜、竹一齊皆築倒，却纔請師父上馬，順大路一齊西行。

畢竟不知前去如何，且聽下回分解。

總批：

昔人在荆棘中談詩，今日談詩中有荆棘矣。可爲發嘆。

第六十五回 妖邪假設小雷音 四衆皆逢大厄難

這回因果，勸人爲善，切休作惡。一念生，神明照鑒，任他爲作。拙蠢乖能君怎學，兩般還是無心藥。趁生前有道正該修，莫浪泊。認根源，脱本殻。訪長生，須把捉。要時時明見，醍醐斟酌。貫徹三關填黑海，管教善者乘鸞鶴。那其間愍故更慈悲，登極樂。

話表唐三藏一念虔誠，且休言天神保護，似這草木之靈，尚來引送，雅會一宵，脱出荆棘針刺，再無蘿蓏攀纏。四衆西進，行够多時，又值冬殘，正是那三春之日：

物華交泰，斗柄回寅。草芽遍地緑，柳眼滿堤青。一嶺桃花紅錦涴，冄溪煙水碧羅明。幾多風雨，無限心情。日曬花心艷，燕啣苔蕊輕。山色王維畫濃淡，鳥聲季子舌縱横。芳菲鋪綉無人賞，蝶舞蜂歌却有情。

師徒們也自尋芳踏翠，緩隨馬步。正行之間，忽見一座高山，遠望着與天相接。三藏揚鞭指道：「悟空，那座山也不知有多少高，可便似接着青天，透衝碧漢。」行者道：「古詩不云：『祇有天在上，更無山與齊。』但言山之極高，無可與他比并。豈有接天之理！」八戒道：「若不接天，如何把昆侖山號爲『天柱』？」行者道：「你不知。自古『天不滿西北』。昆侖山在西北乾位上，故有頂天塞空之意，遂名天柱。」沙僧笑道：「大哥把這好話兒莫與他説。他聽了去，又降別人。我們且走路。等上了那山，就知高下也。」

那呆子趕着沙僧，厮耍厮鬥。老師父馬快如飛。須臾，到那山崖之邊。一步步往上行來，祇見那山：

林中風颯颯，澗底水潺潺。鴉雀飛不過，神仙也道難。千崖萬壑，億曲百灣。塵埃滚滚無人到，怪石森森不厭看。有處有雲如水滉，是方是樹鳥聲繁。鹿啣芝去，猿摘桃還。狐貉往來崖上跳，麂獐出入嶺頭頑。忽聞虎嘯驚人膽，斑豹蒼狼把路攔。

唐三藏一見心驚。孫行者神通廣大，你看他一條金箍棒，哮吼一聲，嚇過了狼蟲虎豹，剖開路，引師父直上

高山。行過嶺頭，下西平處，忽見祥光藹藹，彩霧紛紛，有一所樓臺殿閣，隱隱的鐘磬悠揚。三藏道：『徒弟們，看是個甚麼去處。』行者抬頭，用手搭凉篷，仔細觀看，那壁廂好個所在！真個是：

珍樓寶座，上刹名方。谷虛繁地籟，境寂散天香。青松帶雨遮高閣，翠竹留雲護講堂。霞光縹緲龍宮顯，彩色飄飄沙界長。朱欄玉户，畫棟雕梁。談經香滿座，語篆月當窗。鳥啼丹樹内，鶴飲石泉旁。四圍花發琪園秀，三面門開捨衛光。樓臺突兀門迎嶂，鐘磬虛徐聲韵長。窗開風細，簾捲煙茫。有僧情散淡，無俗意和昌。紅塵不到真仙境，静土招提好道場。

行者看罷，回復道：『師父，那去處是便是座寺院，却不知禪光瑞藹之中，又有些凶氣何也。觀此景象，也是雷音，却又路道差池。我們到那廂，決不可擅入，恐遭毒手。』唐僧道：『既有雷音之景，莫不就是靈山？你休誤了我誠心，擔擱了我來意。』行者道：『不是，不是！靈山之路，我也走過幾遍，那是這路途！』八戒道：『縱然不是，也必有個好人居住。』沙僧道：『不必多疑。此條路未免從那門首過，是不是一見可知也。』行者道：『悟净說得有理。』

那長老策馬加鞭，至山門前，見『雷音寺』三個大字，慌得滚下馬來，倒在地下。口裏罵道：『潑猢猻！害殺我也！現是雷音寺，還哄我哩！』行者陪笑道：『師父莫惱，你再看看。山門上乃四個字，你怎麼衹念出三個來，倒還怪我？』長老戰兢兢的爬起來再看，真個是四個字，乃『小雷音寺』。三藏道：『就是小雷音寺，必定也有個佛祖在内。經上言三千諸佛，想是不在一方：似觀音在南海，普賢在峨眉，文殊在五臺。這不知是那一位佛祖的道場。古人云：「有佛有經，無方無寶。」我們可進去來。』行者道：『不可進去。此處少吉多凶。若有禍患，你莫怪我。』三藏道：『就是無佛，也必有個佛像。我弟子心願，遇佛拜佛，如何怪你。』即命八戒取袈裟，换僧帽，結束了衣冠，舉步前進。

衹聽得山門裏有人叫道：『唐僧，你自東土來拜見我佛，怎麼還這等怠慢？』三藏聞言，即便下拜。八戒也磕頭，沙僧也跪倒，惟大聖牽馬，收拾行李，在後。方入到二層門内，就見如來大殿。殿門外寶臺之下，擺列着五百羅漢、三千揭諦、四金剛、八菩薩、比丘尼、優婆塞、無數的聖僧、道者。真個也香花艷麗，瑞氣繽紛。慌得那長老與八戒、沙僧一步一拜，拜上靈臺之間。行者公然不拜。又聞得蓮臺座上厲聲高叫道：『那孫悟空，見如來怎麼不拜？』不知行者又仔細觀看，見得是假，遂丢了馬匹、行囊，掣棒在手，喝道：『你這伙孽畜，十分膽大！怎麼假倚佛名，敗壞如來清德！不要走！』雙手輪棒，上前便打。衹聽得半空中叮噹一聲，撇下一副金鐃，把行者連頭帶足，合在金鐃之内。慌得個豬八戒、沙和尚連忙使起鈀杖，就被些阿羅、揭諦、聖僧、道者一擁近前圍繞。他兩個措手不及，盡被拿了。將三藏捉住，一齊都繩纏索綁，緊縛牢拴。

原來那蓮花座上裝佛祖者乃是個妖王，衆阿羅等，都是些小怪。遂收了佛祖體像，依然現出妖身。將三衆抬入後邊收藏，把行者合在金鐃之中，永不開放。衹擱在寶臺之上，限三晝夜化爲膿血。化後，才將鐵籠蒸他三個受用。這正是：

碧眼猢兒識假真，禪機見像拜金身。黄婆盲目同參禮，木母痴心共話論。邪怪生强欺本性，魔頭懷惡詐天人。誠爲道小魔頭大，錯入旁門枉費身。

那時群妖將唐僧三衆收藏在後，把馬拴在後邊，把他的袈裟、僧帽安在行李擔内，亦收藏了。一壁廂嚴緊不題。

却說行者合在金鐃裏，黑洞洞的，燥得滿身流汗，左拱右撞，不能得出。急得他使鐵棒亂打，莫想得動分毫。他心裏没了算計，將身往外一掙，却要掙破那金鐃；遂捻着一個訣，就長有千百丈高，那金鐃也隨他身長，全無一些瑕縫光明。却又捻訣把身子往下一小，小如芥菜子兒，那鐃也就隨身小了，更無些些孔竅。他又把鐵棒，吹口仙氣，叫『變！』即變做幡竿一樣，撑住金鐃。他却把腦後毫毛，選長的，拔下兩根，叫『變！』即變做梅花頭五瓣鑽兒，挨着棒下，鑽有千百下，衹鑽得蒼蒼響亮，再不鑽動一些。

行者急了，却捻個訣，念一聲『嚂静法界，乾元亨利貞』的咒語。拘得那五方揭諦、六丁六甲、一十八位護教伽藍，

都在金鐃之外道：『大聖，我等俱保護着師父，不教妖魔傷害，你又拘喚我等做甚？』行者道：『我那師父，不聽我勸解，就弄死他也不虧！——但衹你等怎麼快作法將這鐃鈸掀開，放我出來，再作處治。這裏面不通光亮，滿身暴燥，却不悶殺我也？』衆神真個掀鐃，就如長就的一般，莫想揭得分毫。金頭揭諦道：『大聖，這鐃鈸不知是件甚麼寶貝，連上帶下，合成一塊。小神力薄，不能掀動。』行者道：『我在裏面，不知使了多少神通，也不得動。』

揭諦聞言，即着六丁神保護着唐僧，六甲神看守着金鐃，衆伽藍前後照察；他却縱起祥光，須臾間，闖入南天門裏。不待宣召，直上靈霄寶殿之下，見玉帝俯伏啓奏道：『主公，臣乃五方揭諦使。今有齊天大聖保唐僧取經，路遇一山，名小雷音寺。唐僧錯認靈山進拜，原來是妖魔假設，困陷他師徒，將大聖合在一副金鐃之內，進退無門，看看至死，特來啓奏。』即傳旨：『差二十八宿星辰，快去釋厄降妖。』

那星宿不敢少緩，隨同揭諦，出了天門，至山門之內。有二更時分，那些大小妖精，因獲了唐僧，老妖俱犒賞了，各去睡覺。衆星宿更不驚張，都到鐃鈸之外，報道：『大聖，我等是玉帝差來二十八宿，到此救你。』行者聽說大喜。便教：『動兵器打破，老孫就出來了！』衆星宿道：『不敢打。此物乃渾金之寶，打着必響；響時驚動妖魔，却難救拔。等我們用兵器捎他。你那裏但見有一些光處就走。』行者道：『正是。』你看他們使槍的使槍，使劍的使劍，使刀的使刀，使斧的使斧；扛的扛，抬的抬，掀的掀，捎的捎；弄到有三更天氣，漠然不動，就是鑄成了囫圇的一般。那行者在裏邊，東張張，西望望，爬過來，滚過去，莫想看見一些光亮。

亢金龍道：『大聖啊，且休焦躁。觀此寶定是個如意之物，斷然也能變化。你在那裏面，于那合縫之處，用手摸着，等我使角尖兒拱進來，你可變化了，順鬆處脱身。』行者依言，真個在裏面亂摸。這星宿把身變小了，那角尖兒就似個針尖一樣，順着鈸，合縫口上，伸將進去。可憐用盡千斤之力，方能穿透裏面。却將本身與角使法像，叫『長！長！長！』角就長有碗來粗細。那鈸口倒也不像金鑄的，好似皮肉長成的，順着亢金龍的角，緊緊噙住，四下裏更無一絲拔縫。

行者摸着他的角，叫道：『不濟事！上下没有一毫鬆處！没奈何，你忍着些兒疼，帶我出去。』好大聖，即將金箍棒變作一把鋼鑽兒，將他那角尖上鑽了一個孔竅，把身子變得似個芥菜子兒，拱在那鑽眼裏蹲着，叫：『扯出角去！扯出角去！』這星宿又不知費了多少力，方纔拔出，使得力盡筋柔，倒在地下。

行者却自他角尖鑽眼裏鑽出，現了原身，掣出鐵棒，照鐃鈸當的一聲打去，就如崩倒銅山，咋開金鐃。可惜把個佛門之器，打做個千百塊散碎之金！唬得那二十八宿驚張，五方揭諦發竪。大小群妖皆夢醒。

老妖王睡裏慌張，急起來，披衣擂鼓，聚點群妖，名執器械。此時天將黎明。一擁趕到寶臺之下。衹見孫行者與列宿圍在碎破金鐃之外，大驚失色，即令：『小的們！緊關了前門，不要放出人去！』

行者聽説，即携星衆，駕雲跳在九霄空裏。那妖王收了碎金，排開妖卒，列在山門外。妖王懷恨，没奈何披挂了，使一根短軟狼牙棒，出營高叫：『孫行者！好男子不可遠走高飛！快向前與我交戰三合！』行者忍不住，即引星衆，按落雲頭，觀看那妖精怎生模樣。但見他：

蓬着頭，勒一條扁薄金箍；光着眼，簇兩道黄眉的竪。懸膽鼻，孔竅開查；四方口，牙齒尖利。穿一副叩結連環鎧，勒一條生絲攢穗縧。脚踏烏喇鞋一對，手執狼牙棒一根。此形似獸不如獸，相貌非人却似人。

行者挺着鐵棒喝道：『你是個甚麼怪物，擅敢假裝佛祖，侵佔山頭，虚設小雷音寺！』那妖王道：『這猴兒是也不知我的姓名，故來冒犯仙山。此處唤做小西天。因我修行，得了正果，天賜與我的寶閣珍樓。我名乃是黄眉老佛。這裏人不知，但稱我爲黄眉大王、黄眉爺爺。一向久知你往西去，有些手段，故此設像顯能，誘你師父進來，要和你打個賭賽。如若鬥得過我，饒你師徒，讓汝等成個正果；如若不能，將汝等打死，等我去見如來取經，

果正中華也。』行者笑道：『妖精，不必海口！既要睹，快上來領棒！』那妖王喜孜孜，使狼牙棒抵住。這一場好殺：

兩條棒，不一樣，説將起來有形狀：一條短軟佛家兵，一條堅硬藏海藏。都有隨心變化功，今番相遇爭強壯。短軟狼牙雜錦妝，堅硬金箍蛟龍象。若粗若細實可誇，要短要長甚停當。猴與魔，齊打仗，這場真個無虛誑。馴猴秉教作心猿，潑怪欺天弄假像。嗔嗔恨恨各無情，惡惡兇兇都有樣。那一個當頭手起不放松，這一個架丟劈面難推讓。噴雲照日昏，吐霧遮峰嶂。棒來棒去兩相迎，忘生忘死因三藏。

看他兩個鬥經五十回合，不見輸贏。那山門口，鳴鑼擂鼓，衆妖精吶喊搖旗。這壁廂有二十八宿天兵共五方揭諦衆聖，各掮器械，吆喝一聲，把那魔頭圍在中間，唬得那山門外群妖難擂鼓，戰兢兢手軟不敲鑼。

老妖魔公然不懼，一隻手使狼牙棒，架着衆兵；一隻手去腰間解下一條舊白布搭包兒，往上一抛，『滑』的一聲響亮，把孫大聖、二十八宿與五方揭諦，一搭包兒通裝將去，挎在肩上，拽步回身。衆小妖個個歡然得勝而回。老妖教小的們取了三五十條麻索，解開搭包，拿一個，捆一個。一個個都骨軟筋麻，皮膚窊皺。捆了抬去後邊，不分好歹，俱擲之于地。妖王又命排筵暢飲，自旦至暮方散，各歸寢處不題。

却説孫大聖與衆神捆至夜半，忽聞有悲泣之聲。側耳聽時，却原來是三藏聲音。哭道：『悟空啊！我自恨當時不聽伊，致令今日受灾危。金鐃之内傷了你，麻繩捆我有誰知。四衆遭逢緣命苦，三千功行盡傾頹。何由解得迍邅難，坦蕩西方去復歸！』

行者聽言，暗自憐憫道：『那師父雖是未聽吾言，今遭此害，然于患難之中，還有憶念老孫之意。趁此夜静妖眠，無人防備，且去解脱衆等逃生也。』

好大聖，使了個遁身法，將身一小，脱下繩來，走近唐僧身邊，叫聲『師父。』長老認得聲音，叫道：『你爲何到此？』行者悄悄的把前項事告訴了一遍。長老甚喜道：『徒弟！快救我一救！向後事，但憑你處，再不強了！』

行者才動手，先解了師父，放了八戒、沙僧，又將二十八宿、五方揭諦，個個解了，又牽過馬來，教快先走出去。方出門，却不知行李在何處，又來找尋。亢金龍道：『你好重物輕人！既救了你師父就够了，又還尋甚行李？』行者道：『人固要緊，衣鉢尤要緊。包袱中有通關文牒、錦襴袈裟、紫金鉢盂，俱是佛門至寶，如何不要！』八戒道：『哥哥，你去找尋，我等先去路上等你。』你看那星衆，簇擁着唐僧，使個攝法，共弄神通，一陣風，撮出垣圍，奔大路，下了山坡，却屯于平處等候。

約有三更時分，孫大聖輕挪慢步，走入裏面，原來一層層門户甚緊。他就爬上高樓看時，窗牖皆關。欲要下去，又恐怕窗櫺兒響，不敢推動。捻着訣，摇身一變，變做一個仙鼠，俗名蝙蝠。你道他怎生模樣：

頭尖還似鼠，眼亮亦如之。有翅黄昏出，無光白晝居。藏身穿瓦穴，覓食撲蚊兒。偏喜晴明月，飛騰最識時。

他順着不封瓦口椽子之下，鑽將進去。越門過户，到了中間看時，衹見那第三重樓窗之下，閃灼灼一道毫光，也不是燈燭之光，香火之光，又不是飛霞之光，掣電之光。他半飛半跳，近于光前看時，却是包袱放光。那妖精把唐僧的袈裟脱了，不曾折，就亂亂的揌在包袱之内。那袈裟本是佛寶，上邊有如意珠、摩尼珠、紅瑪瑙、紫珊瑚、舍利子、夜明珠，所以透的光彩。

他見了此衣鉢，心中一喜，就現了本像，拿將過來，也不管擔繩偏正，抬上肩，往下就走。不期脱了一頭，撲的落在樓板上，唿喇的一聲響亮。噫！有這般事：可可的老妖精在樓下睡覺，一聲響，把他驚醒，跳起來，亂叫道：『有人了！有人了！』那些大小妖都起來，點燈打火，一齊吆喝，前後去看。有的來報道：『唐僧走了！』又有的來報道：『行者衆人俱走了！』老妖急傳號令，教：『各門上謹慎！』行者聽言，恐又遭他羅網，挑不成包袱，縱筋斗，就跳出樓窗外走了。

那妖精前前後後，尋不着唐僧等。又見天色將明，取了棒，帥衆來趕，衹見那二十八宿與五方揭諦等神，雲霧騰騰，

屯住山坡之下。妖王喝了一聲『那裏去！吾來也！』角木蛟急喚：『兄弟們！怪物來了！』亢金龍、女土蝠、房日兔、心月狐、尾火虎、箕水豹、斗木獬、牛金牛、氐土貉、虚日鼠、危月燕、室火猪、壁水㺄、奎木狼、婁金狗、胃土彘、昴日鷄、畢月烏、觜火猴、參水猿、井木犴、鬼金羊、柳土獐、星日馬、張月鹿、翼火蛇、軫水蚓，領着金頭揭諦、銀頭揭諦、六甲、六丁等神、護教伽藍，同八戒、沙僧，——不領唐三藏，丢了白龍馬——各執兵器，一擁而上。這妖王見了，呵呵冷笑，叫一聲哨子，有四五千大小妖精，一個個威强力勝，渾戰在西山坡上。好殺：

魔頭潑惡欺真性，真性温柔怎奈魔。百計施爲難脱苦，千方妙用不能和。諸天來擁護，衆聖助乾戈。留情虧木母，定志感黄婆。渾戰驚天并振地，强争設網與張羅。那壁廂摇旗吶喊，這壁廂擂鼓篩鑼。槍刀密密寒光蕩，劍戟紛紛殺氣多。妖卒兇還勇，神兵怎奈何。愁雲遮日月，慘霧罩山河。苦掤苦拽來相戰，皆因三藏拜彌陀。

那妖精倍加勇猛，帥衆上前掩殺。正在那不分勝敗之際，衹聞得行者叱咤一聲道：『老孫來了！』八戒迎着道：『行李如何？』行者道：『老孫的性命幾乎難免，却便説甚麽行李！』沙僧執着寶杖道：『且休叙話，快去打妖精也！』那星宿、揭諦、丁甲等神，被群妖圍在垓心渾殺，老妖使棒來打他三個。這行者、八戒、沙僧丢開棍杖，輪着釘鈀抵住。真個是地暗天昏，不能取勝。衹殺得太陽星，西没山根，太陰星，東生海嶠。那妖見天晚，打個哨子，教群妖各各留心，他却取出寶貝。孫行者看得分明。那怪解下搭包，拿在手中。行者道聲『不好了！走啊！』他就顧不得八戒、沙僧、諸天等衆，一路筋斗，跳上九霄空裏。衆神、八戒、沙僧不解其意，被他抛起去，又都裝在裏面，只是走了行者。那妖王收兵回寺，又教取出繩索，照舊綁了。將唐僧、八戒、沙僧懸梁高吊；白馬拴在後邊；諸神亦俱綁縛，抬在地窖子内，封了蓋鎖。那衆妖遵依，一一收了不題。

却説行者跳在九霄，全了性命；見妖兵回轉，不張旗號，已知衆等遭擒。他却按下祥光，落在那東山頂上，咬牙恨怪物，滴泪想唐僧，仰面朝天望，悲嗟忽失聲。叫道：『師父啊！你是那世裏造下這迍邅難，今生裏步步遇妖精。似這般苦楚難逃，怎生是好！』獨自一個，嗟嘆多時，復又寧神思慮，以心問心道：『這妖魔不知是個甚麽搭包子，那般裝得許多物件？如今將天神、天將，許多人又都裝進去了。我待求救于天，奈恐玉帝見怪。我記得有個北方真武，號曰蕩魔天尊，他如今現在南贍部洲武當山上，等我去請他來搭救師父一難。』正是：

仙道未成猿馬散，心神無主五行枯。

畢竟不知此去端的如何，且聽下回分解。

總批：

人多從似處錯了，小雷音寺便是樣子。〇世上無一物不有似者，最能誤人，所以似是而非，深爲可惡。

第六十六回 諸神遭毒手 彌勒縛妖魔

話表孫大聖無計可施，縱一朵祥雲，駕筋斗，徑轉南贍部洲去拜武當山，參請蕩魔天尊，解釋三藏、八戒、沙僧、天兵等衆之灾。他在半空裏無停止。不一日，早望見祖師仙境，輕輕按落雲頭，定睛觀看，好去處：

巨鎮東南，中天神嶽。芙蓉峰竦杰，紫蓋嶺巍峨。九江水盡荆揚遠，百越山連翼軫多。上有太虛之寶洞，朱陸之靈臺。三十六宮金磬響，百千萬客進香來。舜巡禹禱，玉簡金書。樓閣飛青鳥，幢幡襬赤裾。地設名山雄宇宙，天開仙境透空虛。幾樹榔梅花正放，滿山瑶草色皆舒。龍潜澗底，虎伏崖中。幽含如訴語，馴鹿近人行。白鶴伴雲栖老檜，青鸞丹鳳向陽鳴。玉虛師相真仙地，金闕仁慈治世門。

上帝祖師，乃淨樂國王與善勝皇后夢吞日光，覺而有孕，懷胎一十四個月，于開皇元年甲辰之歲三月初一日午時降誕于王宮。那爺爺：

幼而勇猛，長而神靈。不統王位，惟務修行。父母難禁，弃捨皇宮。參玄入定，在此山中。功完行滿，白日飛昇。玉皇敕號，真武之名。玄虛上應，龜蛇合形。週天六合，皆稱萬靈。無幽不察，無顯不成。劫終劫始，剪伐魔精。

孫大聖玩着仙境景致，早來到一天門、二天門、三天門。却至太和宮外，忽見那祥光瑞氣之間，簇擁着五百靈官。那靈官上前迎着道：「那來的是誰？」大聖道：「我乃齊天大聖孫悟空，要見師相。」衆靈官聽說，隨報。祖師即下殿，迎到太和宮。

行者作禮道：「我有一事奉勞。」問：「何事？」行者道：「保唐僧西天取經，路遭險難。至西牛賀洲，有座山唤小西天，小雷音寺有一妖魔。我師父進得山門，見有阿羅、揭諦、比丘、聖僧排列，以爲真佛，倒身才拜，忽被他拿住綁了。我又失于防閑，被他拋一副金鐃，將我罩在裏面，無纖毫之縫，口合如鉗。甚虧金頭揭諦請奏玉帝，欽差二十八宿，當夜下界，掀揭不起。幸得亢金龍將角透入鐃內，將我度出，被我打碎金鐃，驚醒怪物。趕戰之間，又被撒一個白布搭包兒，將我與二十八宿併五方揭諦，盡皆裝去，復用繩捆了。是我當夜脱逃，救了星辰等衆，與我唐僧等。後爲找尋衣鉢，又驚醒那妖，與天兵趕戰。那怪又拿出搭包兒，理弄之時，我却知道前音，遂走了。衆等被他依然裝去。我無計可施，特來拜求師相一助力也。」

祖師道：「我當年威鎮北方，統攝真武之位，剪伐天下妖邪，乃奉玉帝敕旨。後又披髮跣足，踏騰蛇神龜，領五雷神將、巨虯獅子、猛獸毒龍，收降東北方黑氣妖氛，乃奉元始天尊符召。今日静享武當山，安逸太和殿，一向海嶽平寧，乾坤清泰。奈何我南贍部洲併北俱蘆洲之地，妖魔剪伐，邪鬼潜踪。今蒙大聖下降，不得不行；只是上界無有旨意，不敢擅動乾戈。假若法遣衆神，又恐玉帝見罪；十分却了大聖，又是我逆了人情。我諒着那西路上縱有妖邪，也不爲大害。我今着龜、蛇二將併五大神龍與你助力，管教擒妖精，救你師之難。」行者拜謝了祖師，即同龜、蛇、龍神各帶精鋭之兵，復轉西洲之界。不一日，到了小雷音寺，按下雲頭，徑至山門外叫戰。

却説那黄眉大王聚衆怪在寶閣下説：「孫行者這兩日不來，又不知往何方去借兵也。」説不了，衹見前門上小妖報道：「行者引幾個龍蛇龜相，在門外叫戰！」妖魔道：「這猴兒怎麽得個龍蛇龜相？此等之類，却是何方來者？」隨即披挂，走出山門高叫：「汝等是那路龍神，敢來造吾仙境？」五龍、二將相貌峥嶸，精神抖擻，喝道：「那潑怪！我乃武當山太和宮混元教主蕩魔天尊之前五位龍神、龜、蛇二將。今蒙齊天大聖相邀，我天尊符召，到此捕你這妖精，快送唐僧與天星等出來，免你一死！不然，將這一山之怪，碎劈其屍；幾間之房，燒爲灰燼！」那怪聞言，心中大怒道：「這畜生，有何法力，敢出大言！不要走！吃吾一棒！」這五條龍，翻雲使雨；那兩員將，播土揚沙，各執槍刀劍戟，一擁而攻。孫大聖又使鐵棒隨後。這一場好殺：

兇魔施武，行者求兵。兇魔施武，擅據珍樓施佛像；行者求兵，遠參寶境借龍神。龜蛇生水火，妖怪動刀兵。五龍奉旨來西路，行者因師在後收。劍戟光明摇彩電，槍刀晃亮閃霓虹。這個狼牙棒，强能短軟；那個金箍棒，

隨意如心。祇聽得扢撲響聲如爆竹，叮當音韻似敲金。水火齊來徵怪物，刀兵共簇繞精靈。喊殺驚狼虎，喧嘩振鬼神。渾戰正當無勝處，妖魔又取寶和珍。

行者帥五龍、二將，與妖魔戰經半個時辰，那妖精即解下搭包在手。行者見了心驚，叫道：『列位仔細！』那龍神、蛇、龜不知甚麽仔細，一個個都停住兵，近前抵擋。那妖精幌的一聲，把搭包兒撇將起去。孫大聖顧不得五龍、二將，駕筋斗，跳在九霄逃脫。他把個龍神、龜、蛇一搭包子又裝將去了。妖精得勝回寺，也將繩捆了，抬在地窖子裏蓋住不題。

你看那大聖落下雲頭，斜在山巔之上，没精没采，懊恨道：『這怪物十分利害！』不覺的合着眼，似睡一般。猛聽得有人叫道：『大聖，休推睡，快早上緊求救。你師父性命，衹在須臾間矣！』行者急睜睛跳起來看，原來是日值功曹。行者喝道：『你這毛神，這向在那方貪圖血食，不來點卯，今日却來驚我！伸過孤拐來，讓老孫打兩棒解悶！』功曹慌忙施禮道：『大聖，你是人間之喜仙，何悶之有！我等早奉菩薩旨令，教我等暗中護佑唐僧，乃同土地等神，不敢暫離左右，是以不得常來參見。怎麽反見責也？』行者道：『你既是保護，如今那衆星、揭諦、伽藍併我師等，被妖精困在何方？受甚罪苦？』功曹道：『你師父、師弟，都吊在寶殿廊下；星辰等衆，都收在地窖之間受罪。這兩日不聞大聖消息，却纔見妖精又拿了神龍、龜、蛇，又送在地窖裏去了，方知是大聖請來的兵，小神特來尋大聖。大聖莫辭勞倦，千萬再急去求救援。』

行者聞言及此，不覺對功曹滴泪道：『我如今愧上天宫，羞臨海藏！怕問菩薩之原由，愁見如來之玉像！才拿去者，乃真武師相之龜、蛇、五龍聖衆。教我再無方求救，奈何？』功曹笑道：『大聖寬懷。小神想起一處精兵，請來斷然可降。適纔大聖至武當，是南贍部洲之地。這枝兵也在南贍部洲盱眙山蠙城，即今泗州是也。那裏有個大聖國師王菩薩，神通廣大。他手下有一個徒弟，唤名小張太子，還有四大神將，昔年曾降伏水母娘娘。你今若去請他。他來施恩相助，准可捉怪救師也。』行者心喜道：『你且去保護我師父，勿令傷他，待老孫去請也。』

行者縱起筋斗雲，躲離怪處，直奔盱眙山。不一日，早到。細觀，真好去處：

南近江津，北臨淮水。東通海嶠，西接封浮。山頂上有樓觀峥嶸，山凹裏有澗泉浩湧。嵯峨怪石，槃秀喬松。百般果品應時新，千樣花枝迎日放。人如蟻陣往來多，船似雁行歸去廣。上邊有瑞岩觀、東嶽宫、五顯祠、龜山寺，鐘韵香煙衝碧漢；又有玻璃泉、五塔峪、八仙臺、杏花園，山光樹色映蠙城。白雲横不度，幽鳥倦還鳴。説甚泰嵩衡華秀，此間仙景若蓬瀛。

大聖點玩不盡，徑過了淮河，入蠙城之内，到大聖禪寺山門外。又見那殿宇軒昂，長廊彩麗，有一座寶塔峥嶸。真是：

插雲倚漢高千丈，仰視金瓶透碧空。上下有光凝宇宙，東西無影映簾櫳。風吹寶鐸聞天樂，日映冰虬對梵宫。飛宿靈禽時訴語，遥瞻淮水渺無窮。

行者且觀且走，直至二層門下。那國師王菩薩早已知之，即與小張太子出門迎迓。相見叙禮畢，行者道：『我保唐僧西天取經，路上有個小雷音寺，那裏有個黄眉怪，假充佛祖。我師父不辨真僞，就下拜，被他拿了。又將金鐃把我罩了，幸虧天降星辰救出。是我打碎金鐃，與他賭鬥，又將一個布搭包兒，把天神、揭諦、伽藍與我師父、師弟盡皆裝了進去。我前去武當山請玄天上帝救援，他差五龍、龜、蛇拿怪，又被他一搭包子裝去。弟子無依無倚，故來拜請菩薩，大展威力，將那收水母之神通，拯生民之妙用，同弟子去救師父一難！取得經回，永傳中國，揚我佛之智慧，興般若之波羅也。』

國師王道：『你今日之事，誠我佛教之興隆，理當親去，奈時值初夏，正淮水泛漲之時。新收了水猿大聖，那廝遇水即興；恐我去後，他乘空生頑，無神可治。今着小徒領四將和你去助力，煉魔收伏罷。』行者稱謝。即同

四將併小張太子，又駕雲回小西天。直至小雷音寺，小張太子使一條楮白槍，四大將輪四把鋸鋘劍，和孫大聖上前罵戰。小妖又去報知，那妖王復帥群妖，鼓譟而出道：『猢猻！你今又請得何人來也？』說不了，小張太子，指揮四將，上前喝道：『潑妖精！你面上無肉，不認得我等在此！』妖王道：『是那方小將，敢來與他助力？』太子道：『吾乃泗州大聖國師王菩薩弟子，帥領四大神將，奉令擒你！』妖王笑道：『你這孩兒有甚武藝，擅敢到此輕薄？』太子道：『你要知我武藝，等我道來：

祖居西土流沙國，我父原爲沙國王。自幼一身多疾苦，命乾華蓋惡星妨。因師遠慕長生訣，有分相逢捨藥方。半粒丹砂祛病退，願從修行不爲王。學成不老同天壽，容顏永似少年郎。也曾趕赴龍華會，也曾騰雲到佛堂。捉霧拿風收水怪，擒龍伏虎鎮山場。撫民高立浮屠塔，靜海深明捨利光。楮白槍尖能縛怪，淡緇衣袖把妖降。如今靜樂嬪城內，大地揚名說小張！』

妖王聽說，微微冷笑道：『那太子，你捨了國家，從那國師王菩薩，修的是甚麼長生不老之術？只好收捕淮河水怪。却怎麼聽信孫行者誑謬之言，千山萬水，來此納命！看你可長生可不老也！』

小張聞言，心中大怒，纏槍當面便刺，四大將一擁齊攻，孫大聖使鐵棒上前又打。好妖精，公然不懼，輪着他那短軟狼牙棒，左遮右架，直挺橫衝。這場好殺：

小太子，楮白槍，四柄鋸鋘劍更強。悟空又使金箍棒，齊心圍繞殺妖王。妖王其實神通大，不懼分毫左右搪。狼牙棒是佛中寶，劍砍槍輪莫可傷。祇聽狂風聲吼吼，又觀惡氣混茫茫。那個有意思凡弄本事，這個專心拜佛取經章。幾番馳騁，數次張狂。噴雲霧，閉三光，奮怒懷嗔各不良。多時三乘無上法，致令百藝苦相將。

概衆爭戰多時，不分勝負。那妖精又解搭包兒。行者又叫：『列位仔細！』太子并衆等不知『仔細』之意。那怪『滑』的一聲，把四大將與太子，一搭包又裝將進去，只是行者預先知覺走了。那妖王得勝回寺，又教取繩捆了，

送在地窖，牢封固鎖不題。

這行者縱筋斗雲，起在空中，見那怪回兵閉門，方纔按下祥光，立于西山坡上，悵望悲啼道：『師父啊！我

自從秉教入禪林，感荷菩薩脫難深。保你西來求大道，相同輔助上雷音。祇言平坦羊腸路，豈料崔巍怪物侵。百計千方難救你，東求西告枉勞心！』

大聖正當淒慘之時，忽見那西南上一朵彩雲墜地，滿山頭大雨繽紛，有人叫道：『悟空，認得我麼？』行者急走前看處，那個人：

大耳横頤方面相，肩查腹滿身軀胖。一腔春意喜盈盈，兩眼秋波光蕩蕩。敞袖飄然福氣多，芒鞋灑落精神壯。極樂場中第一尊，南無彌勒笑和尚。

行者見了，連忙下拜道：『東來佛祖，那裏去？弟子失回避了。萬罪！萬罪！』佛祖道：『我此來，專爲這小雷音妖怪也。』行者道：『多蒙老爺盛德大恩。敢問那妖是那方怪物，何處精魔，不知他那搭包兒是件甚麼寶貝，煩老爺指示指示。』佛祖道：『他是我面前司磬的一個黄眉童兒。三月三日，我因赴元始會去，留他在宫看守，他把我這幾件寶貝拐來，假佛成精。那搭包兒是我的後天袋子，俗名喚做「人種袋」。那條狼牙棒是個敲磬的槌兒。』

行者聽說，高叫一聲道：『好個笑和尚！你走了這童兒，教他誑稱佛祖，陷害老孫，未免有個家法不謹之過！』彌勒道：『一則是我不謹，走失人口；二則是你師徒們魔障未完，故此百靈下界，應該受難。我今來與你收他去也。』行者道：『這妖精神通廣大，你又無些兵器，何以收之？』彌勒笑道：『我在這山坡下，設一草庵，種一田瓜果在此，你去與他索戰。交戰之時，許敗不許勝，引他到我這瓜田裏。我別的瓜都是生的，你却變做一個大熟瓜。他來定要瓜吃，我却將你與他吃。吃下肚中，任你怎麼在内擺佈他。那時等我取了他的搭包兒，裝他回去。』行者道：『此計雖妙，你却怎麼認得變的熟瓜？他怎麼就肯跟我來此？』彌勒笑道：『我爲治世之尊，慧眼高明，豈不認得你！

憑你變作甚物，我皆知之。但恐那怪不肯跟來耳。我却教你一個法術。」行者道：「他斷然是以搭包兒裝我，怎肯跟來！有何法術可來也？」彌勒笑道：「你伸手來。」行者即舒左手，遞將過去。彌勒將右手食指，蘸着口中神水，在行者掌上寫了一個『禁』字，教他捏着拳頭，見妖精當面放手，他就跟來。

行者攥拳，欣然領教。一隻手輪着鐵棒，直至山門外，高叫道：「妖魔，你孫爺爺又來了！可快出來，與你見個上下！」小妖又忙忙奔告。妖王問道：「他又領多少兵來叫戰？」小妖道：「別無甚兵，止他一個。」妖王笑道：「那猴兒計窮力竭，無處求人，斷然是送命來也。」

隨又結束整齊，帶了寶貝，舉着那輕軟狼牙棒，走出門來，叫道：「孫悟空，今番掙挫不得了！」行者罵道：「潑怪物！我怎麼掙挫不得？」妖王道：「我見你計窮力竭，無處求人，獨自個强來支持，如今拿住，再没個甚麼神兵救拔，此所以説你掙挫不得也。」行者道：「這怪不知死活！莫説嘴！吃我一棒！」那妖王見他一隻手輪棒，忍不住笑道：「這猴兒，你看他弄巧！怎麼一隻手使棒支吾？」行者道：「兒子！你禁不得我兩隻手打！若是不使搭包子，再着三五個，也打不過老孫這一隻手！」妖王聞言，道：「也罷！也罷！我如今不使寶貝，衹與你實打，比個雌雄。」即舉狼牙棒，上前來鬥。孫行者迎着面，把拳頭一放，雙手輪棒。那妖精着了禁，不思退步，果然不弄搭包，衹顧使棒來趕。行者虚幌一下，敗陣就走。那妖精直趕到西山坡下。

行者見有瓜田，打個滾，鑽入裏面，即變做一個大熟瓜，又熟又甜。那妖精停身四望，不知行者那方去了。他却趕至庵邊叫道：「瓜是誰人種的？」彌勒變作一個種瓜叟，出草庵答道：「大王，瓜是小人種的。」妖王道：「可有熟瓜麼？」彌勒道：「有熟的。」妖王叫：「摘個熟的來，我解渴。」彌勒即把行者變的那瓜，雙手遞與妖王。妖王更不察情，到此接過手，張口便啃。那行者乘此機會，一轂轆鑽入咽喉之下，等不得好歹，就弄手脚。抓腸蒯腹，翻跟頭，竪蜻蜓，任他在裏面擺佈。那妖精疼得傞牙倈嘴，眼泪汪汪，把一塊種瓜之地，滚得似個打麥之場，口中衹叫：「罷了！罷了！誰人救我一救！」彌勒却現了本像，嘻嘻笑叫道：「孽畜！認得我麼？」那妖抬頭看見，慌忙跪倒在地，雙手揉着肚子，磕頭撞腦，衹叫：「主人公！饒我命罷！饒我命罷！再不敢了！」

彌勒上前，一把揪住，解了他的後天袋兒，奪了他的敲磬槌兒，叫：「孫悟空，看我面上，饒他命罷。」行者十分恨苦，却又左一拳，右一脚，在裏面亂掏亂搗。那怪萬分疼痛難忍，倒在地下。彌勒又道：「悟空，他也够了，你饒他罷。」行者才叫：「你張開口，等老孫出來。」那怪雖是肚腹絞痛，還未傷心。俗語云：「人未傷心不得死，花殘葉落是根枯。」他聽見叫張口，即便忍着疼，把口大張。行者方纔跳出，現了本像，急掣棒還要打時，早被佛祖把妖精裝在袋裏，斜跨在腰間。手執着磬槌，駡道：「孽畜！金鐃偷了那裏去了？」那怪却衹要憐生，在後天袋内哼哼嘖嘖的道：「金鐃是孫悟空打破了。」佛祖道：「鐃破，還我金來。」那怪道：「碎金堆在殿蓮臺上哩。」

那佛祖提着袋子，執着磬槌，嘻嘻笑叫道：「悟空，我和你去尋金還我。」行者見此法力，怎敢違誤。只得引佛上山，回至寺内，收取碎金。衹見那山門緊閉，佛祖使槌一指，門開入裏看時，那些小妖，已得知老妖被擒，各自收拾囊底，都要逃生四散。被行者見一個，打一個；見兩個，打兩個；把五七百個小妖，盡皆打死。各現原身，都是些山精樹怪，獸孽禽魔。佛祖將金收攢一處，吹口仙氣，念聲咒語，即時返本還原，復得金鐃一副。別了行者，駕祥雲，徑轉極樂世界。

這大聖却纔解下唐僧、八戒、沙僧。那呆子吊了幾日，餓得慌了，且不謝大聖，却就蝦着腰，跑到厨房尋飯吃。原來那怪正安排了午飯，因行者索戰，還未得吃。這呆子看見，即吃了半鍋，却拿出兩鉢頭叫師父、師弟們各吃了兩碗，然後才謝了行者。問及妖怪原由。行者把先請祖師、龜、蛇，後請大聖、借太子，并彌勒收降之事，細陳了一遍。三藏聞言，謝之不盡，頂禮了諸天，道：「徒弟，這些神聖，困于何所？」行者道：「昨日日值功曹對老孫説，都在地窨之内。」叫：「八戒，我與你去解脱他等。」

[illegible]

那呆子得食力壯，抖擻精神，尋着他的釘鈀，即同大聖到後面，打開地窖，將衆等解了繩，請出珍樓之下。三藏披了袈裟，朝上一一拜謝。這大聖才送五龍、二將回武當，送小張太子與四將回蠙城；後送二十八宿歸天府；發放揭諦、伽藍各回境。師徒們却寬住了半日。餵飽了白馬，收拾行囊，至次早登程。臨行時，放上一把火，將那些珍樓、寶座、高閣、講堂，俱盡燒爲灰燼。這裏才：

無挂無牽逃難去，消灾消障脫身行。

畢竟不知幾時才到大雷音，且聽下回分解。

總批：

笑和尚只是要金子，不然，便做個哭和尚了。有金便笑，無金便哭，和尚尚如此，而况世人乎！

第六十七回 拯救駝羅禪性穩 脫離穢污道心清

話說三藏四衆，躲離了小西天，欣然上路。行經個月程途，正是春深花放之時，見了幾處園林皆綠暗，一番風雨又黃昏。三藏勒馬道：『徒弟啊，天色晚矣，往那條路上求宿去？』行者笑道：『師父放心。若是没有借宿處，我三人都有些本事，叫八戒砍草，沙和尚扳松，老孫會做木匠，就在那路上搭個蓬庵，好道也住得年把。你忙怎的！』八戒道：『哥呀，這個所在，豈是住場！滿山多虎豹狼蟲，遍地有魑魅魍魎。白日裏尚且難行，黑夜裏怎生敢宿？』行者道：『呆子！越發不長進了！不是老孫海口，衹這條棒子，攥在手裏，就是塌下天來，也撑得住！』

師徒們正然講論，忽見一座山莊不遠。行者道：『好了！有宿處了！』長老問：『在何處？』行者指道：『那樹叢裏不是個人家？我們去借宿一宵，明早走路。』長老欣然促馬，至莊門外下馬。衹見那柴扉緊閉。長老敲門道：『開門，開門。』裏面有一老者，手拖藜杖，足踏蒲鞋，頭頂烏巾，身穿素服，開了門，便問：『是甚人在此大呼小叫？』三藏合掌當胸，躬身施禮道：『老施主，貧僧乃東土差往西天取經者。適到貴地，天晚，特造尊府借宿一宵。萬望方便方便。』老者道：『和尚，你要西行，却是去不得啊。此處乃小西天。若到大西天，路途甚遠。且休道前去艱難，衹這個地方，已此難過。』三藏問：『怎麽難過？』老者用手指道：『我這莊村西去三十餘裏，有一條稀柿同，山名七絶。』三藏道：『何爲「七絶」？』老者道：『這山徑過有八百里，滿山盡是柿果。古云：「柿樹有七絶：一，益壽；二，多陰；三，無鳥巢；四，無蟲；五，霜葉可玩；六，嘉實；七，枝葉肥大。」故名七絶山。我這敝處地闊人稀，那深山亘古無人走到。每年家熟爛柿子落在路上，將一條夾石衚衕，盡皆填滿；又被雨露雪霜，經霉過夏，作成一路污穢。這方人家，俗呼爲稀屎同。但颳西風，有一股穢氣，就是淘東圊也不似這般惡臭。如今正值春深，東南風大作，所以還不聞見也。』三藏心中煩悶不言。

行者忍不住，高叫道：『你這老兒甚不通便！我等遠來投宿，你就說出這許多話來唬人！十分你家窄逼没處睡，

我等在此樹下蹲一蹲，也就過了此宵，何故這般絮聒？』那老者見了他相貌醜陋，便也擰住口，驚嚗嚗的，硬着膽，喝了一聲，用藜杖指定道：『你這廝，骨撾臉，磕額頭，塌鼻子，凹頡腮，毛眼毛睛，癆病鬼，不知高低，尖着個嘴，敢來衝撞我老人家！』行者陪笑道：『老官兒，你原來有眼無珠，不識我這癆病鬼哩！相法云：「形容古怪，石中有美玉之藏。」你若以言貌取人，乾净差了。我雖醜便醜，却倒有些手段。』老者道：『你是那方人氏？姓甚名誰？有何手段？』行者笑道：

『我祖居東勝大神洲，花果山前自幼修。身拜靈臺方寸祖，學成武藝甚全週：也能攪海降龍母，善會擔山趕日頭；縛怪擒魔稱第一，移星換鬥鬼神愁。偷天轉地英名大，我是變化無窮美石猴！』

老者聞言，回嗔作喜。躬着身，便教：『請，請入寒舍安置。』遂此，四衆牽馬挑擔，一齊進去。衹見那荆針棘刺，鋪設兩邊，二層門是磚石壘的墻壁，又是荆棘苫蓋，入裏才是三間瓦房。老者便扯椅安坐待茶，又叫辦飯。少頃，移過桌子，擺着許多麵筋、豆腐、芋苗、蘿白、辣芥、蔓菁、香稻米飯，醋燒葵湯，師徒們盡飽一餐。吃畢，八戒扯過行者，背云：『師兄，這老兒始初不肯留宿，今返設此盛齋，何也？』行者道：『這個能值多少錢！到明日，還要他十果十菜的送我們哩！』八戒道：『不羞！憑你那幾句大話，哄他一頓飯吃了，明日却要跑路，他又管待送你怎的？』行者道：『不要忙，我自有個處治。』

不多時，漸漸黄昏，老者又叫掌燈。行者躬身問道：『公公高姓？』老者道：『姓李。』行者道：『貴地想就是李家莊了？』老者道：『不是，這裏喚做駝羅莊，共有五百多人家居住。別姓俱多，惟我姓李。』行者道：『李施主，府上有何善意，賜我等盛齋？』那老者起身道：『才聞得你説會拿妖怪，我這裏却有個妖怪，累你替我們拿拿，自有重謝。』行者就朝上唱個喏道：『承照顧了！』八戒道：『你看他惹禍！聽見説拿妖怪，就是他外公也不這般親熱，預先就唱個喏！』行者道：『賢弟，你不知。我唱個喏就是下了個定錢，他再不去請別人了。』

三藏聞言道：『這猴兒凡事便要自專。倘或那妖精神通廣大，你拿他不住，可不是我出家人打誑語麽？』行者笑道：『師父莫怪，等我再問了看。』那老者道：『還問甚？』行者道：『你這貴處，地勢清平，又許多人家居住，更不是偏僻之方，有甚麽妖精，敢上你這高門大户？』老者道：『實不瞞你説。我這裏久矣康寧。衹這三年六月間，忽然一陣風起，那時人家甚忙，打麥的在場上，插秧的在田裏，俱着了慌，衹説是天變了。誰知風過處，有個妖精，將人家牧放的牛馬吃了，猪羊吃了，見鷄鵝囫圇咽，遇男女夾活吞。自從那次，這二年常來傷害。長老啊，你若有手段，拿了妖怪，掃净此土，我等决然重謝，不敢輕慢。』行者道：『這個却是難拿。』八戒道：『真是難拿，難拿！我們乃行脚僧，借宿一宵，明日走路，拿甚麽妖精！』老者道：『你原來是騙飯吃的和尚！初見時誇口弄舌，説會換斗移星，降妖縛怪，及説起此事，就推却難拿！』

行者道：『老兒，妖精好拿；只是你這方人家不齊心，所以難拿。』老者道：『怎見得人心不齊？』行者道：『妖精攪擾了三年，也不知傷害了多少生靈。我想着每家衹出銀一兩，五百家可凑五百兩銀子，不拘到那裏，也尋一個法官把妖拿了，却怎麽就甘受他三年磨折？』老者道：『若論説使錢，好道也羞殺人！我們那家不花費三五兩銀子！前年曾訪着山南裏有個和尚，請他到此拿妖，未曾得勝。』行者道：『那和尚怎的拿來？』老者道：

『那個僧伽，披領袈裟。先談《孔雀》，後念《法華》。香焚爐内，手把鈴拿。正然念處，驚動妖邪。風生雲起，徑至莊家。僧和怪鬥，其實堪誇：一遞一拳搗，一遞一把抓。和尚還相應，相應没頭髮。須臾妖怪勝，徑直返煙霞。原來曬乾疤。我等近前看，光頭打的似個爛西瓜！』

行者笑道：『這等説，吃了虧也。』老者道：『他衹拚得一命，還是我們吃虧：與他買棺木殯葬，又把些銀子與他徒弟。那徒弟心還不歇，至今還要告狀，不得乾净！』行者道：『再可曾請甚麽人拿他？』老者道：『舊年又請了一個道士。』行者道：『那道士怎麽拿他？』老者

道：『那道士：

頭戴金冠，身穿法衣。令牌敲響，符水施爲。驅神使將，拘到妖魑。狂風滾滾，黑霧迷迷。即與道士，兩個相持。鬥到天晚，怪返雲霓。乾坤清朗朗，我等衆人齊。出來尋道士，淹死在山溪。撈得上來大家看，却如一個落湯鷄！』

行者笑道：『這等說，也吃虧了。』老者道：『他也祇捨得一命，我們又使够悶數錢糧。』行者道：『不打緊，不打緊，等我替你拿他來。』老者道：『你若果有手段拿得他，我請幾個本莊長者與你寫個文書：若得勝，憑你要多少銀子相謝，半分不少；如若有虧，切莫和我等放賴，各聽天命。』行者笑道：『這老兒被人賴怕了。我等不是那樣人。快請長者去。』

那老者滿心歡喜，即命家僮，請幾個左鄰、右舍、表弟、姨兄、親家、朋友，共有八九位老者，都來相見。會了唐僧，言及拿妖一事，無不欣然。衆老問：『是那一位高徒去拿？』行者叉手道：『是我小和尚。』衆老悚然道：『不濟！不濟！那妖精神通廣大，身體狼犺。你這個長老，瘦瘦小小，還不够他填牙齒縫哩！』行者笑道：『老官兒，你估不出人來。我小自小，結實，都是「吃了磨刀水的，秀氣在內」哩！』衆老見說，只得依從道：『長老，拿住妖精，你要多少謝禮？』行者道：『何必說要甚麼謝禮！俗語云：「說金子幌眼，說銀子傻白，說銅錢腥氣！」我等乃積德的和尚，決不要錢。』衆老道：『既如此說，都是受戒的高僧。既不要錢，豈有空勞之理！我等各家俱以魚田爲活。若果降了妖孽，凈了地方，我等每家送你兩畝良田，共湊一千畝，坐落一處，你師徒們在上起蓋寺院，打坐參禪，强似方上雲遊。』行者又笑道：『越不停當！但說要了田，就要養馬當差，納糧辦草，黃昏不得睡，五鼓不得眠。好倒弄殺人也！』衆老道：『諸般不要，却將何謝？』行者道：『我出家人，但只是一茶一飯，便是謝了。』衆老喜道：『這個容易。但不知你怎麼拿他。』行者道：『他但來，我就拿住他。』衆老道：『那怪大着哩！上拄天，下拄地；來時風，去時霧。你却怎生近得他？』行者笑道：『若論呼風駕霧的妖精，我把他當孫子罷了；若說身體長大，有那手段打他！』

正講處，祇聽得呼呼風響，慌得那八九個老者，戰戰兢兢道：『這和尚鹽醬口！說妖精，妖精就來了！』那老李開了腰門，把幾個親戚，連唐僧，都叫：『進來！進來！妖怪來了！』唬得那八戒也要進去，沙僧也要進去。行者兩隻手扯住兩個道：『你們忒不循理！出家人，怎麼不分內外！站住！不要走！跟我去天井裏，看看是個甚麼妖精。』八戒道：『哥啊，他們都是經過帳的，風響便是妖來。他都去躲，我們又不與他有親，又不相識，又不是交契故人，看他做甚？』原來行者力量大，不容說，一把拉在天井裏站下。那陣風越發大了。好風：

倒樹摧林狼虎憂，播江攪海鬼神愁。掀翻華嶽三峰石，提起乾坤四部洲。村捨人家皆閉户，滿莊兒女盡藏頭。黑雲漠漠遮星漢，燈火無光遍地幽。

慌得那八戒戰戰兢兢，伏之于地，把嘴拱開土，埋在地下，却如釘了釘一般。沙僧蒙着頭臉，眼也難睁。

行者聞風認怪，一霎時，風頭過處，祇見那半空中隱隱的兩盞燈來，即低頭叫道：『兄弟們！風過了！起來看！』那呆子扯出嘴來，抖抖灰土，仰着臉，朝天一望，見有兩盞燈光，忽失聲笑道：『好耍子！好耍子！原來是個有行止的妖精！該和他做朋友！』沙僧道：『這般黑夜，又不曾覿面相逢，怎麼就知好歹？』八戒道：『古人云：「夜行以燭，無燭則止。」你看他打一對燈籠引路，必定是個好的。』沙僧道：『你錯看了。那不是一對燈籠，是妖精的兩隻眼亮。』這呆子就唬矮了三寸，道：『爺爺呀！眼有這般大啊！不知口有多少大哩！』行者道：『賢弟莫怕。你兩個護持着師父，待老孫上去討他個口氣，看他是甚妖精。』八戒道：『哥哥，不要供出我們來。』

好行者，縱身打個唿哨，跳到空中。執鐵棒，厲聲高叫道：『慢來！慢來！有吾在此！』那怪見了，挺住身軀，將一根長槍亂舞。行者執了棍勢，問道：『你是那方妖怪？何處精靈？』那怪更不答應，只是舞槍。行者又問，又不答，只是舞槍。行者暗笑道：『好是耳聾口啞！不要走！看棍！』那怪更不怕，亂舞槍遮攔。在那半空中，一來一往，

一上一下，鬥到三更時分，未見勝敗。八戒、沙僧，在李家天井裏，看得明白。原來那怪只是舞槍遮架，更無半分兒攻殺。行者一條棒不離那怪的頭上。八戒笑道：『沙僧，你在這裏護持，讓老猪去幫打幫打，莫教那猴子獨幹這功，領頭一鐘酒。』

好呆子，就跳起雲頭，趕上就築。那怪物又使一條槍抵住。兩條槍，就如飛蛇掣電。八戒誇獎道：『這妖精好槍法！不是「山後槍」，乃是「纏絲槍」；也不是「馬家槍」，却叫做個「軟柄槍」！』行者道：『呆子莫胡談！那裏有個甚麽「軟柄槍」！』八戒道：『你看他使出槍尖來架住我們，不見槍柄，不知收在何處。』行者道：『或者是個「軟柄槍」；但這怪物還不會説話，想是還未歸人道，陰氣還重。只怕天明時陽氣勝，他必要走。但走時，一定趕上，不可放他。』八戒道：『正是！正是！』

又鬥多時，不覺東方發白。那怪不敢戀戰，回頭就走。行者與八戒，一齊趕來，忽聞得污穢之氣旭人，乃是七絶山稀柿衕也。八戒道：『是那家淘毛厠哩！哏！臭氣難聞！』行者侮着鼻子，衹叫：『快快趕妖精！快快趕妖精！』那怪物攛過山去，現了本像，乃是一條紅鱗大蟒。你看他：

眼射曉星，鼻噴朝霧。密密牙排鋼劍，彎彎爪曲金鉤。頭戴一條肉角，好便似千千塊瑪瑙攢成；身披一派紅鱗，却就如萬萬片胭脂砌就。盤地衹疑爲錦被，飛空錯認作虹霓。歇卧處有腥氣衝天，行動時有赤雲罩體。大不大，兩邊人不見東西；長不長，一座山跨佔南北。

八戒道：『原來是這般一個長蛇！若要吃人啊，一頓也得五百個，還不飽足！』行者道：『那軟柄槍乃是兩條信。我們趕他軟了，從後打出去！』這八戒縱身趕上，將鈀便築。那怪物一頭鑽進窟裏，還有七八尺長尾巴丟在外邊。八戒放下鈀，一把撾住道：『着手！着手！』盡力氣往外亂扯，莫想扯得動一毫。行者笑道：『呆子！放他進去，自有處置，不要這等倒扯蛇。』八戒真個撒了手，那怪縮進去了。八戒怨道：『才不放手時，半截子已是我們的了！

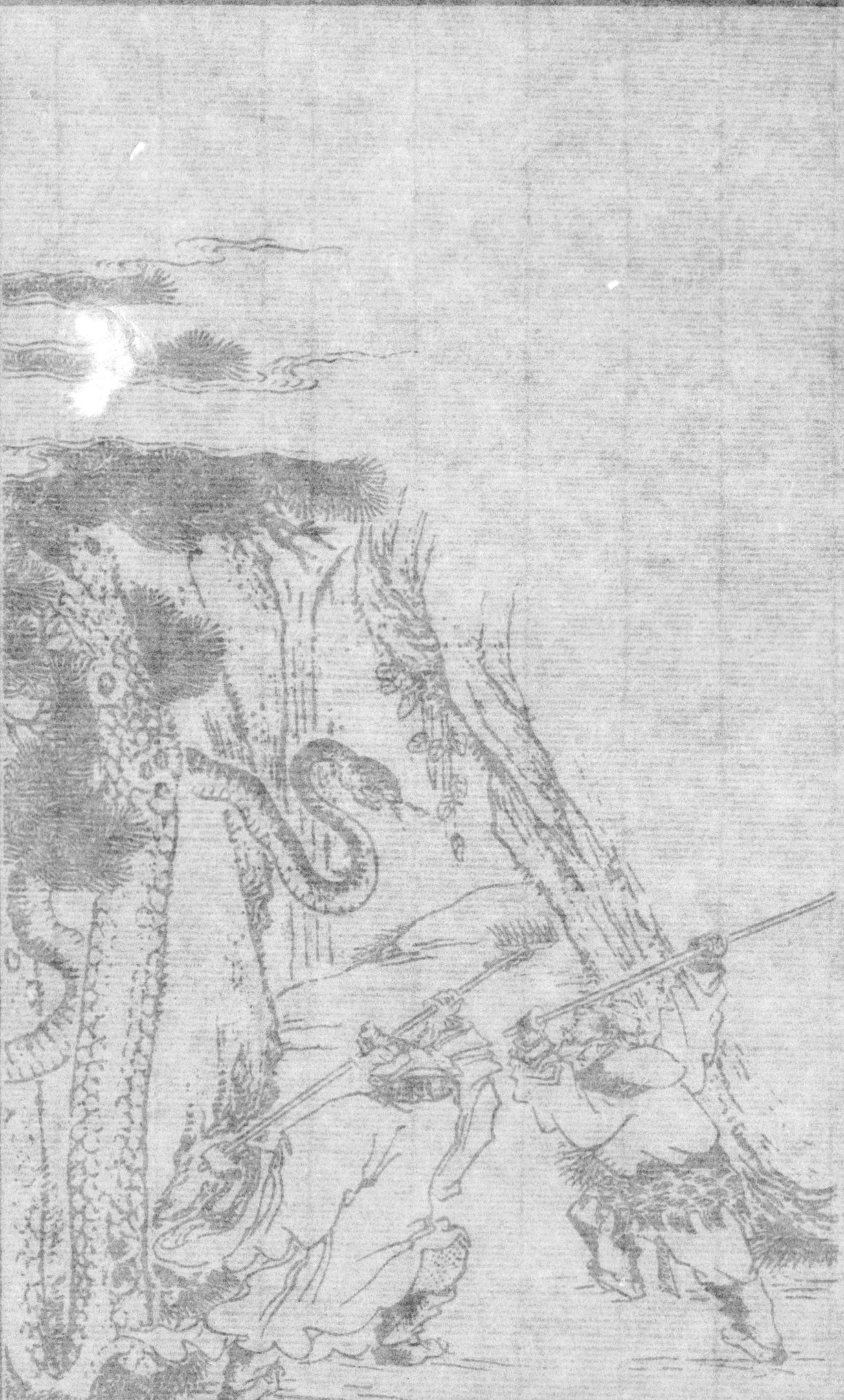

是這般縮了，却怎麼得他出來？這不是叫做没蛇弄了？』行者道：『這廝身體狼犺，窟穴窄小，斷然轉身不得，一定是個照直攛的，定有個後門出頭。你快去後門外攔住，等我在前門外打。』

那呆子真個一溜烟，跑過山去。果見有個孔窟，他就扎定脚。還不曾站穩，不期行者在前門外使棍子往裏一搗，那怪物護疼，徑往後門攛出。八戒未曾防備，被他一尾巴打了一跌，莫能掙挫得起，睡在地下忍疼。行者見窟中無物，搴着棍，穿進去叫趕妖怪。那八戒聽得吆喝，自己害羞，忍着疼，爬起來，使鈀亂撲。行者見了，笑道：『妖怪走了，你還撲甚的了？』八戒道：『老猪在此「打草驚蛇」哩！』行者道：『活呆子！快趕上！』

二人趕過澗去，見那怪盤做一團，竪起頭來，張開巨口，要吞八戒。八戒慌得往後便走。這行者反迎上前，被他一口吞之。八戒搥胸跌脚，大叫道：『哥耶！傾了你也！』行者在妖精肚裏，支着鐵棒道：『八戒莫愁，我叫他搭個橋兒你看！』那怪物躬起腰來，就似一道路東虹。八戒道：『雖是像橋，只是没人敢走。』行者道：『我再叫他變做個船兒你看！』在肚裏將鐵棒撑着肚皮。那怪物肚皮貼地，翹起頭來，就似一隻贛保船。八戒道：『雖是像船，只是没有桅篷，不好使風。』行者道：『你讓開路，等我叫他使個風你看。』又在裏面盡着力把鐵棒從脊背上一搠將出去，約有五七丈長，就似一根桅杆。那廝忍疼掙命，往前一攛，比使風更快，攛回舊路，下了山，有二十餘裏，却纔倒在塵埃，動盪不得，嗚呼喪矣。八戒隨後趕上來，又舉鈀亂築。行者把那物穿了一個大洞，鑽將出來道：『呆子！他死也死了，你還築他怎的？』八戒道：『哥啊，你不知我老猪一生好打死蛇？』遂此收了兵器，抓着尾巴，倒拉將來。

却説那駝羅莊上李老兒與衆等，對唐僧道：『你那兩個徒弟，一夜不回，斷然傾了命也。』三藏道：『决不妨事。我們出去看看。』須臾間，衹見行者與八戒拖着一條大蟒，吆吆喝喝前來，衆人却纔歡喜。滿莊上老幼男女，都來跪拜道：『爺爺！正是這個妖精，在此傷人！今幸老爺施法，斬怪除邪，我輩庶各得安生也！』衆家都是感激，東請西邀，各各酬謝。師徒們被留住五七日，苦辭無奈，方肯放行。又各家見他不要錢物，都辦些乾糧果品，騎騾壓馬，花紅彩旗，盡來餞行。此處五百人家，到有七八百人相送。

一路上喜喜歡歡，不時到了七絶山稀柿衕。三藏聞得那般惡穢，又見路道填塞，道：『悟空，似此怎生度得？』行者侮着鼻子道：『這個却難也。』三藏見行者説難，便就眼中垂淚。李老兒與衆上前道：『老爺勿得心焦。我等送到此處，都已約定意思了。令高徒與我們降了妖精，除了一莊禍害，我們各辦虔心，另開一條好路，送老爺過去。』行者笑道：『你這老兒，俱言之欠當。你初然説這山徑過有八百里，你等又不是大禹的神兵，那裏會開山鑿路！若要我師父過去，還得我們着力，你們都成不得。』三藏下馬，道：『悟空，怎生着力麼！』行者笑道：『眼下就要過山，却也是難；若説再開條路，却又難也。須是還從舊胡同過去。衹恐無人管飯。』李老兒道：『長老説那裏話！憑你四位擔擱多少時，我等俱養得起，怎麼説無人管飯！』行者道：『既如此，你們去辦得兩石米的乾飯，再做些蒸餅饃饃來。等我那長嘴和尚吃飽了，變了大猪，拱開舊路，我師父騎在馬上，我等扶持着，管情過去了。』

八戒聞言，道：『哥哥，你們都要圖個乾净，怎麼獨教老猪出臭？』三藏道：『悟能，你果有本事拱開衕衕，領我過山，注你這場頭功。』八戒笑道：『師父在上，列位施主們都在此，休笑話。我老猪本來有三十六般變化。若説變輕巧華麗飛騰之物，委實不能；若説變山，變樹，變石塊，變土墩，變賴象、科猪、水牛、駱駝，真個全會。只是身體變得大，肚腸越發大。須是吃得飽了，才好幹事。』衆人道：『有東西！有東西！我們都帶得有乾糧、果品、燒餅、餶飿在此。原要開山相送的。且都拿出來，憑你受用。待變化了，行動之時，我們再着人回去做飯送來。』八戒滿心歡喜，脱了皂直裰，丢了九齒鈀，對衆道：『休笑話，看老猪幹這場臭功。』

好呆子，捻着訣，摇身一變，果然變做一個大猪。真個是：

嘴長毛短半脂膘，自幼山中食藥苗。黑面環睛如日月，圓頭大耳似芭蕉。修成堅骨同天壽，煉就粗皮比鐵牢。

䶑䶑鼻音呱詁叫，喳喳喉響噴喁哮。白蹄四柢高千尺，劍鬣長身百丈饒。從見人間肥豕彘，未覩今日老猪魈。唐僧等衆齊稱讚，美美天蓬法力高。

孫行者見八戒變得如此，即命那些相送人等，快將乾糧等物推攢一處，叫八戒受用。那呆子不分生熟，一滂食之，却上前拱路。行者叫沙僧脱了脚，好生挑擔，請師父穩坐雕鞍。他也脱了鞝鞋，吩咐衆人回去：『若有情，快早送些飯來與我師弟接力。』那些人有七八百相送隨行，多一半有騾馬的，飛星回莊做飯；還有三百人步行的，立于山下遥望他行。原來此莊至山，有三十餘裏；待回取飯來，又三十餘裏；往回擔擱，約有百里之遥，他師徒們已此去得遠了。衆人不捨，催趲騾馬，進衚衕，連夜趕至，次日方纔趕上。叫道：『取經的老爺，慢行！慢行！我等送飯來也！』長老聞言，謝之不盡，道：『真是善信之人！』叫八戒住了，再吃些飯食壯神。那呆子拱了兩日，正在饑餓之際。那許多人何止有七八石飯食。他也不論米飯、麵飯，收積來一滂用之。飽餐一頓，却又上前拱路。三藏與行者、沙僧謝了衆人，分手兩別。正是：

駝羅莊客回家去，八戒開山過衕來。三藏心誠神力擁，悟空法顯怪魔衰。千年稀柿今朝净，七絶衚衕此日開。六欲塵情皆剪絶，平安無阻拜蓮臺。

這一去不知還有多少路程，還遇甚麼妖怪，且聽下回分解。

總批：

『倒扯蛇』，『没蛇弄了』，『打草驚蛇』，『好打死蛇』，都是趣話，惹人噴飯。